Ki
e o
Caminho das Artes Marciais

KENJI TOKITSU

Ki
e o
Caminho das Artes Marciais

Tradução
LUIZ CARLOS CINTRA

Editora
Cultrix
SÃO PAULO

Título do original: *Budo – Le Ki et Le Sens Du Combat.*

Copyright © 2000 Éditions DésIris-Méolans-Revel, França.

Copyright da edição brasileira © 2012 Editora Pensamento-Cultrix Ltda.

Texto de acordo com as novas regras ortográficas da língua portuguesa.

1ª edição 2012.

3ª reimpressão 2018.

Todos os direitos reservados. Nenhuma parte desta obra pode ser reproduzida ou usada de qualquer forma ou por qualquer meio, eletrônico ou mecânico, inclusive fotocópias, gravações ou sistema de armazenamento em banco de dados, sem permissão por escrito, exceto nos casos de trechos curtos citados em resenhas críticas ou artigos de revistas.

A Editora Cultrix não se responsabiliza por eventuais mudanças ocorridas nos endereços convencionais ou eletrônicos citados neste livro.

Supervisão da tradução: Shihan Wagner Bull (6º Dan Aikikai)
Para treinar desenvolvimento do Ki no Brasil pode-se procurar o Instituto Takemussu na Rua Mauro, 331, em São Paulo, www.aikikai.org.br, e-mail inst.takemussu@aikikai.org.br

Coordenação editorial: Denise de C. Rocha Delela e Roseli de S. Ferraz
Preparação de originais: Maria Sylvia Correa
Diagramação: Join Bureau

Dados Internacionais de Catalogação na Publicação (CIP)
(Câmara Brasileira do Livro, SP, Brasil)

Tokitsu, Kenji
    Ki e o caminho das artes marciais / Kenji Tokitsu ; tradução : Luiz Carlos Cintra . – São Paulo : Cultrix, 2012.

    Título original: em francês: Budô : le Kit et le sens du combat.
    ISBN 978-85-316-1200-8

    1. Artes marciais – Japão 2. Ki (Filosofia chinesa)
I. Título.

12-11097   CDD-796.8

Índices para catálogo sistemático:
1. Artes marciais: Esportes   796.8

Direitos de tradução para a língua portuguesa
adquiridos com exclusividade pela
EDITORA PENSAMENTO-CULTRIX LTDA.
Rua Dr. Mário Vicente, 368 — 04270-000 — São Paulo, SP
Fone: (11) 2066-9000 — Fax: (11) 2066-9008
E-mail: atendimento@editoracultrix.com.br
http://www.editoracultrix.com.br
que se reserva a propriedade literária desta tradução.
Foi feito o depósito legal.

Sumário

Prefácio à edição brasileira 7
Prefácio 11

1. O que é budo? 23
2. A transmissão do budo pelos japoneses 29
3. O problema do budo para praticantes
   estrangeiros 35
4. Uma chave para o budo 41
5. Ki na cultura japonesa 45
6. A concepção japonesa de Ki 49
7. O conteúdo do combate no kendo 57
8. Espaço nas artes de combate 63
9. Ki, o guia para o budo 73
10. Ma, a concretização espacial de ki 85
11. Detectar e esconder 89
12. O combate de ki 93
13. O significado e o valor do combate 99

14. Os métodos clássicos de desenvolvimento
    do ki em combate 107
15. A convergência de duas abordagens 121
16. Kiko e o combate 127

Conclusão 133

Prefácio à edição brasileira

Este é o primeiro livro que conheço escrito sobre artes marciais por um oriental, mas usando uma visão ocidental, podendo ajudar bastante quem ainda não compreendeu o aparente paradoxo entre a forma de transmissão oriental e a ocidental. Nas artes marciais tradicionais do Oriente existe um mito de que os grandes mestres são capazes de poderes sobrenaturais usando algum tipo de energia incomum. Essa ideia que apaixona e atrai pessoas para essas práticas não é gratuita, e embora gere alguma fantasia, o praticante de arte marcial experimentado de fato acaba desenvolvendo uma percepção muito grande e entrando em contato com sua energia interna, o "Ki", e por isso consegue na prática real não somente nas artes marciais, mais em suas atividades do dia a dia, levar grande vantagem sobre quem não teve oportunidade de se desenvolver nesse aspecto. Não é fácil separar a ilusão da realidade na literatura das artes marciais, principalmente quando escrita por orientais. Quando li este livro, escrito por Kenji Tokitsu, um japonês nato, mas bastante conhecedor do pensamento ocidental, até por possuir um doutorado em sociologia, percebi que poderíamos ter pela primeira vez, em português, uma obra mais compreensível para os praticantes das artes marciais japonesas, principalmente os que cultivam as artes marciais interiores, como o Aikido, o Tai Chi Chuan, o Chi Kung etc., e tratei de colaborar para que ela fosse publicada em nosso idioma convidando meu aluno de Aikido Luis Carlos Cintra para traduzi-la e contando, mais uma vez, com a ajuda da Editora Pensamento-Cultrix que efetivamente incorporou a ideia de trazer bons livros nesta área para o leitor. Escrevendo em uma linguagem de nosso cotidiano, os parágrafos, à medida que vão sendo lidos, vão nos trazendo conceitos que antes podiam não estar claros, devido à linguagem figurada e à forma de transmissão mais pelo sentimento usada principalmente pelos mestres orientais, pois eles temem que as palavras ditas de forma racional possam deformar as ideias autênticas. Eles acreditam que se pode captar o verdadeiro significado do "ki" sem explicá-lo. Mas isso é muito difícil para nós que estamos acostumados a aprender primeiro a teoria e depois passar para a prática. Como professor e praticante de Aikido, por certo recomendo enfaticamente a leitura desta obra a meus alunos e interessados nesta arte, bem como a todos os praticantes e mestres de artes marciais do

Brasil. Dificilmente um praticante de arte marcial vai ler este pequeno livro sem aprender algo importante e que não sabia antes.

Wagner Bull
Aikikai Shihan, 6º Dan
Diretor Técnico da Conf. Brasileira de
Aikido-Brazil Aikikai
Rua Mauro, 331 – São Paulo – SP –
http://www.aikikai.org.br

Prefácio

Uma faca é feita para cortar. Do mesmo modo, o propósito original da técnica das artes marciais era vencer outra pessoa, machucando-a ou matando-a. Independentemente de quaisquer outros objetivos ou justificativas que tenham sido elaborados ao longo do tempo, a técnica das artes marciais foi desenvolvida para que homens pudessem lutar com outros homens.

Em nossa sociedade, o combate é muitas vezes disfarçado sob a forma de disciplinas com objetivos educacionais ou utilitários. Se compararmos a técnica de combate à lâmina de uma espada, dependendo do contexto no qual a disciplina será usada, essa lâmina deve receber uma variedade de coberturas protetoras para abrandar a qualidade de corte de seu gume. Para aplicações militares ou policiais, a lâmina só precisa ser recoberta com um tecido fino, mas para fins esportivos ou de educação física, a lâmina precisa ser cuidadosamente colocada em diversas bainhas, que às vezes são decoradas com bandeiras nacionais ou cores que correspondem a diversos valores sociais.

Atualmente, a relação entre a lâmina e suas coberturas protetoras é problemática, uma vez que qualquer pessoa pode aprender a técnica de combate por meio de uma variedade de disciplinas. Encontramos técnicas de combate sendo usadas em brigas de rua e em diversos tipos de atividades agressivas que ocorrem em ambientes urbanos. A técnica de combate tem um lugar definitivo nas manifestações contemporâneas de violência. Treinadores de atletas usaram técnicas de combate em contextos educacionais e obtiveram resultados positivos. Foram bem-sucedidos em canalizar a violência de jovens para uma disciplina e por conta disso consideram o treino de técnica de combate como educacional. Naturalmente, suas comunidades locais aprovam isso. Contudo, me parece que o que limita o uso antissocial ou criminoso da técnica de combate, o equivalente à bainha, é bastante frágil, uma vez que esse controle permanece uma questão de responsabilidade individual apenas. Uma pessoa que sabe como usar técnicas perigosas é ao mesmo tempo um ser moral. Um equilíbrio é obtido com a justaposição de técnicas perigosas e senso moral. Estamos todos presos numa rede de pressões diversas, e certas pessoas e grupos têm interesse em permitir a erupção da violência e da agressão. Até que ponto podemos colocar nossa confiança na moralidade individual das pessoas hoje em dia?

A sociedade aceita programas que ensinam e desenvolvem técnicas destinadas a vencer os outros fisicamente, técnicas destinadas a matar. Como podemos justificar isso dentro do referencial da educação física? Essa realidade é mascarada dando-se a esses programas a aparência de um esporte e fornecendo a desculpa de deixar escapar a pressão. "Exercícios de combate me fazem sentir bem, são bons para a minha saúde." O modo como essas técnicas são aplicadas permanece uma questão de responsabilidade individual. No Ocidente, o treinamento de combate é considerado uma técnica e, portanto, um meio para um fim. Como resultado, não inclui moralidade; a moralidade envolvida é considerada um acessório.

Uma qualidade particular do *budo* japonês, que sem dúvida também pode ser encontrada em outras tradições, é que inclui um senso moral dentro de seu caráter técnico.

O ponto é que, para garantir o resultado, a moralidade ou ética das artes marciais deve derivar diretamente do corpo e da técnica prática. Não pode ser algo imposto externamente. Como estamos lidando com uma situação em que *budo* é confundido com atividades de combate em geral, penso que é útil, mesmo necessário, fornecer uma descrição precisa do significado cultural do *budo* e da perspectiva que oferece às pessoas que se tornam interessadas por ele. *Budo* apresenta uma dimensão da atividade humana que pode ser interessante para as pessoas que encaram a prática das artes marciais como algo muito estranho a elas. Ver o aspecto do *budo* pode até servir para atraí-las para essa prática. *Budo* é uma prática física particular que conduz com certeza ao desenvolvimento espiritual. De fato, se as pessoas iniciam *budo* como uma prática física, seu caminho as levará progressivamente em direção a uma dimensão psicológica e elas encontrarão uma prática na qual o corpo e a mente formam uma unidade. Contudo, essa possibilidade é grandemente reduzida hoje em dia pela confusão que existe entre *budo* e diversos tipos de atividades violentas. O propósito deste livro é tornar claros para o leitor a abordagem e os fatores particulares por meio dos quais o combate pode ser praticado como *budo*, de modo que se torne um meio para cultivar o ser humano como um todo.

O termo "*budo*" tornou-se quase sinônimo de "uma arte marcial de origem japonesa". É um dos muitos termos ligados à atividade de combate que as pessoas usam de modo mais ou menos intercambiável, sem questionar seus significados. Muitas pessoas falam sobre "praticar *budo*", o que tem a virtude de conferir um toque de elegância à brutalidade do combate. Mas o estudo real do *budo* é na verdade bastante raro. Uma das razões principais é que a posição das artes marciais orientais não foi devidamente reconhecida no Ocidente. Foram relegadas à periferia do mundo dos esportes, onde a competição é o elemento mais importante. Além disso, as artes marciais foram vinculadas à violência e a tudo ligado a ela. Foram usadas numa variedade de aplicações: em espetáculos, como forma de entretenimento, em várias formas de autodefesa – combate militar ou combate no contexto de trabalho policial – e também em brigas de rua. O aspecto utilitário toma precedência no Ocidente e o estudo das qualidades culturais das artes marciais parece ter sido largamente negligenciado.

O teatro Noh, a cerimônia do chá, haiku, Bunraku, Kabuki e outras disciplinas semelhantes foram desenvolvidas numa sociedade dominada pela espada. Isso implica uma concepção de vida e morte que é diferente daquela prevalecente em nosso tempo. A sensibilidade desses esforços culturais foi moldada por um povo que vivia num tempo em que a espada desempenhava um papel decisivo. O significado profundo das artes marciais japonesas é inseparável desse contexto cultural. No Japão, a cultura do guerreiro sobrevive hoje na forma manifesta das artes marciais e, de um modo mais geral, subjaz a todo o comportamento do povo japonês.

Apesar disso, a prática do *budo* não é tão evidente para os japoneses contemporâneos como se poderia pensar. Desde a modernização do Japão, a aparência das cidades japonesas mudou e o modo japonês de vida (mesmo o modo como as pessoas se movem) foi profundamente abalado e transformado de inúmeras formas. O que resta da cultura tradicional está agora profundamente enterrado sob aparências sociais. Por exemplo, até o início do período Meiji, os japoneses caminhavam de modo diferente.

Permitindo-nos caricaturar as coisas levemente, podemos dizer que os seguintes estilos típicos eram correntes no fim do período Edo. Um guerreiro caminhava mantendo a mão próxima à espada, enfiada numa faixa na cintura, e dirigia seus movimentos a partir do centro de gravidade de sua barriga. Um mercador andava com passos curtos, com o corpo inclinado para a frente e as mãos apoiadas no alto de seu avental. Um artesão caminhava sem balançar seu corpo ou suas ferramentas e mantinha os joelhos flexíveis. Um agricultor andava com seu corpo inclinado para a frente e as mãos na carga que estava sobre seus ombros. A ética da ordem social feudal reforçou esses padrões físicos e acabou por torná-los elementos fixos de identidade.

Assim, os japoneses do período feudal não caminhavam como os japoneses de hoje, com os braços balançando. Esse estilo de caminhar foi introduzido pelos ocidentais e o modo japonês de andar mudou. Pois, a partir da época da restauração de 1868, o Japão adotou o sistema educacional ocidental no domínio do conhecimento intelectual e também no da educação física. O poder do Japão moderno estava baseado nesse novo sistema educacional, que se espalhou rapidamente pelo país. Juntamente com uma rápida redução da taxa de analfabetismo, o moderno estilo de educação física foi imposto com a ideia de treinar soldados de acordo com o modelo ocidental. Isso alterou profundamente o comportamento físico dos japoneses.

Os japoneses continuaram a praticar as artes marciais tradicionais, mas os movimentos físicos usados nessas artes deixaram de ser, como originalmente eram, extensões dos gestos da vida diária, porque o padrão do comportamento físico havia mudado. Os objetivos das artes marciais também foram transformados, na medida em que essas disciplinas foram adaptadas ao novo sistema de valores. Num certo sentido, os japoneses atuais praticam as artes marciais tradicionais com um corpo treinado para imitar um conjunto de gestos habituais que está em processo de desaparecimento por mais de um século. Inevitavelmente, isso conduziu a uma mudança na qualidade e no caráter dessas artes.

Quero enfatizar esse primeiro ponto, porque ele é muitas vezes negligenciado. Quando ocidentais estudam as artes marciais tradicionais japonesas como são transmitidas hoje, eles não têm consciência da extensão em que essas artes marciais foram influenciadas por sua cultura.

Ki

e o

Caminho das Artes Marciais

Shinjo tetsu seki, "Mente como minério de ferro",
pelo monge Kawashima

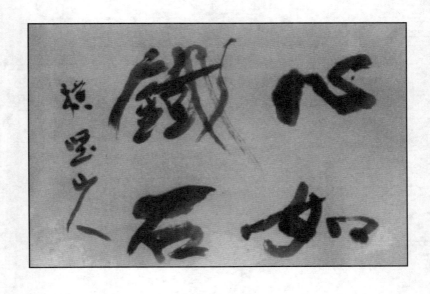

1

O que é Budo?

Contrariamente a uma ideia bastante difundida nos círculos de artes marciais, budo não é uma réplica das artes marciais como praticadas pelos guerreiros do passado. É um conceito moderno que tem como objetivo o treinamento do ser humano como um todo, intelectual e fisicamente, fazendo uso das disciplinas tradicionais de combate. Como vimos, é uma prática tradicional feita com padrões modernos de comportamento físico, aos quais questiona.

No Japão, o termo *"budo"* é usado de um modo mais confuso. É um termo geral que cobre todas as disciplinas marciais. Ao mesmo tempo, não se pode dizer com relação a qualquer disciplina que um iniciante está praticando *budo*, porque isso implica um certo modo de praticar. Quando as pessoas falam sobre o espírito da prática do *kendo*, *judo* ou *karate*, muitas vezes usam uma qualificação adicional, ligada pela palavra *como*. Por exemplo, *kendo* (*judo*, *karate*) como esporte competitivo ou *kendo* (*judo*, *karate*) como *budo*.

"*Budo*" evoca imagens de seriedade, de severidade, de ritual, de respeito pelos mais velhos e pelo mestre, de meditação silenciosa, e assim por diante. Assim, *budo* dá a impressão de uma prática conservadora e uma atitude austera. A palavra "*dojo*" evoca a serenidade de um espaço solene, com um assoalho de madeira polida. Essas imagens contrastam com aquelas de um esporte que acontece num ginásio amplamente iluminado ou ao ar livre. Na verdade, quando falamos de esporte, a imagem é mais livre e, de algum modo, mais ensolarada.

No Japão, quando as pessoas falam de *budo*, com relação ao *karate*, algumas vezes referem-se a uma prática dura e violenta, com competições nas quais não se evita a luta até o nocaute; ou outras vezes se referem a uma prática austera que se distancia de competições e favorece o combate real, no qual não se evitam sangue e ferimentos. Outras pessoas associam-no a treinamento ascético nas montanhas. Confrontação violenta é uma de suas características.

Em outras disciplinas, como o tiro com arco (*kyudo*), enfatiza-se o aspecto espiritual e a harmonia do caráter cerimonial da prática – a ponto de a ideia de combate ser excluída.

Desse modo, no Japão existe uma tendência a definir *budo* com relação a seu aspecto duro e austero. Mas essa definição é mais emocional que teórica e não nos leva muito longe. No que se refere à severidade ou ao alto risco, há disciplinas no campo dos esportes, tais como escalar montanhas ou corrida de barcos a vela em que, em sua forma extrema, os riscos são muito maiores. Portanto, é impreciso definir *budo* em termos de austeridade e severidade ou em termos de um espírito de ascetismo.

O que é *budo* então? A simples noção de *budo* implica a necessidade de refletir sobre a prática técnica das artes marciais, *bu*, em conexão, com a noção de "caminho", *do*. O termo data do período Edo e significa "o caminho do guerreiro". Após o período Meiji, seu significado alterou-se para designar o caminho marcial numa sociedade que estava sendo transformada pela importação de modelos ocidentais. No presente, é um termo bastante ambíguo.

Minha intenção é estudar o conceito de *budo* como usado para referir-se à prática de nossos contemporâneos.

No Japão de hoje a modernidade é altamente prezada e no momento em que se fala em "caminho", *do*, algumas pessoas imediatamente perdem o interesse. Contudo, minha opinião é que essa noção permanece presente na cultura japonesa contemporânea. Do modo como é manifestado em *budo*, o caminho não é nem arcaico nem místico. Sua prática não está restrita a asiáticos e tem sido oferecida bastante abertamente como uma maneira de buscar uma certa forma de perfeição que qualquer pessoa pode desenvolver com base em exercícios físicos. Parece-me que a maneira pela qual certos entusiastas da escalada ou da vela levam suas disciplinas ao ponto extremo de colocar a vida em perigo é próxima à ideia de "caminho", porque estão procurando, por meio de técnicas físicas altamente exigentes, conferir significado à vida através de experiências nas quais confrontam a morte.

Usando uma análise da prática das artes marciais como base, gostaria de descrever as principais características do conceito japonês de "caminho". É o todo da vida de uma pessoa, do momento do nascimento até o momento da morte, que constitui o caminho. Isso inclui altos e baixos. Cada pessoa trilha esse caminho, mas o caminho não se impõe à consciência da pessoa e é fácil dispersar-se com a passagem do tempo. A partir do momento em que falamos de caminho, há um sentido de direção ou de objetivo. Mas quando esse sentido não é experimentado como uma prática, é provável que o *budo* permaneça uma abstração, mesmo que a pessoa tenha um conhecimento histórico ou cultural dele.

Quando, durante o período de tempo que compõe nossa vida, associamos a prática das artes marciais com um sentido de esforço para nos aprimorarmos, isto é, para nos desenvolvermos como um todo, nasce a ideia de *budo*, independentemente da cultura em que essa ideia se origine.

A ideia de desenvolvimento pessoal está presente em todas as culturas. Contudo, o que os japoneses entendem por isso me parece bastante diferente daquilo que os ocidentais pensam. A diferença nesses conceitos é mascarada pela noção de progresso e não aparece imediatamente. Se os ocidentais querem praticar *budo* de um modo completo, me parece que um dos mais importantes problemas que enfrentam é o de pôr em prática a ideia de caminho. Uma análise dos problemas encontrados no processo de transmissão da prática do *budo*, em outra cultura que não a japonesa, nos permitirá obter uma melhor compreensão da complexidade desse conceito.

2

A transmissão do budo pelos japoneses

Vamos começar com as dificuldades ou os problemas explícitos ou implícitos que os mestres japoneses das artes marciais encontram ao tentar transmitir o *budo* para estrangeiros que querem desenvolver uma prática de artes marciais.

Para os mestres japoneses, uma das principais dificuldades é comunicar técnicas físicas em relação com aspectos espirituais. Porque, se eles realmente querem ser entendidos, serão forçados a adotar uma concepção relativa de vida, de modo a acomodar a visão dos ocidentais, que os levará, de certo modo, a colocar em questão sua visão de mundo. Isso não é uma coisa fácil.

Para fazer progresso na prática do *budo*, concentração, vontade, convicção e mesmo um espírito impassível são necessários a fim de perseverar durante anos de treinamento. A vontade exigida para longos e duros períodos de treinamento não é necessariamente compatível com uma tentativa de profunda reflexão teórica e lógica. A maioria dos mestres obtém a energia necessária para nutrir a prática do *budo* da sensação de procurar a perfeição, mesmo quando não o fazem muito conscientemente.

Para mestres da geração que viveu durante a Segunda Guerra Mundial, essa sensação deriva de uma abordagem que visa chegar ao estado de perfeição representado por uma fusão sincrética da imagem do Buda com a imagem dos deuses do xintoísmo. Essa imagem de perfeição é um valor profundamente presente na sociedade japonesa. Contém uma intuição da unidade entre o mundo humano e o universo todo. Essa tendência ao universalismo é bastante geral nos círculos do *budo*. Além disso, a firmeza e o esforço intenso demandados pelo *budo* tendem a reforçar a visão da universalidade do valor da vida que é conduzida no caminho – porque pluralidade pode levar a uma perda de direção, *mayoi*. O *budo* torna possível forjar a força para ir diretamente em direção ao objetivo, mesmo às vezes a expensas do pensamento crítico.

A ideia de verdade universal envolve a tendência à simplificação e à justificação, que poderia levar ao totalitarismo. Ela também é a base para todas as seitas. Não esqueçamos que essa foi uma das justificativas para a ideologia de dominação mundial durante a Segunda Guerra Mundial. Não é meramente por acaso que, durante as guerras, o *budo* era facilmente misturado com um nacionalismo que excluía todos os valores que não aqueles do Japão imperial. Esse universalismo pode também expressar-se em termos de generosidade – por exemplo, quando estudantes estrangeiros são recebidos num *dojo* no Japão – até o grau em que o ponto de vista dos mestres japoneses não seja desafiado ou abalado. Mas então essa atitude deriva principalmente de uma ilusão de entendimento que se torna possível pela inabilidade de comunicar adequadamente por meio da linguagem. Vi o mesmo padrão repetir-se muitas vezes: um mestre diz que esses seguidores ocidentais compreendem o espírito do *budo* melhor que os estudantes japoneses. Quando aparece um problema, ele diz "Estrangeiros são, apesar de tudo, estrangeiros; eles nunca entenderão o *budo*". Quando desentendimentos aparecem claramente, esses mesmos mestres podem parecer egocêntricos, incompreensíveis ou herméticos para seus estudantes ocidentais. Acredito que alguns estudantes ocidentais tiveram esse tipo de experiência.

Deve-se reconhecer que poucos mestres japoneses são inclinados a adquirir um entendimento de outros sistemas de pensamento que não os japoneses, especialmente em relação à prática do *budo*. Mas sua atitude também reflete a ausência da abertura pessoal de alguém que esteja totalmente devotado a estudar e a entender algo, uma abordagem que não é natural à cultura japonesa. Para a maioria dos mestres mais velhos, *budo* é único e, como resultado, a comunicação do *budo* só pode ser uma coisa unilateral: do mestre para os discípulos e dos japoneses para os estrangeiros. É impensável para eles que o conceito de *budo* poderia ser reexaminado e modificado ou esclarecido através do contato cultural com estrangeiros. Contudo, penso que é tempo de reexaminar e esclarecer o conceito de *budo*, porque a prática do *budo* tornou-se agora mundial e me parece que essa situação está se tornando cada vez mais estabelecida.

Se os mestres japoneses não são capazes de comunicar o *budo* corretamente para o mundo exterior, o *budo* fora do Japão corre o risco de assumir uma face irreconhecível e de perder o caráter específico que o faz ser o que é. A responsabilidade dos mestres japoneses, especialmente no caso do *kendo*, é ainda maior porque mestres de alto nível são incomparavelmente mais numerosos no Japão do que em outros países. Sua responsabilidade é multifacetada e pesada porque, como o vejo, o *kendo* é atualmente a única disciplina na qual a ideia de *budo*, tal como elaborada através da prática de combate, é preservada em seu sentido pleno. Com relação às outras disciplinas do *budo*, por contraste, algumas tornaram-se misturadas com esportes de combate e outras estão confinadas quase que exclusivamente à prática de *kata* (formas), as quais – erradamente – as fazem parecer como práticas folclóricas. Também se deve reconhecer que hoje a integridade do *kendo* é ameaçada a tal ponto que sua própria base tornou-se frágil.

Nessa situação, a responsabilidade dos mestres e estudantes japoneses é primeiro e principalmente preservar a herança cultural – a herança do *kendo* e do *budo* – e desenvolvê-la mais e, segundo, comunicá-la e transmiti-la a outros. Usando o exemplo da tradição do *kendo* como base, mestres de outras disciplinas devem aprender os elementos de que suas disciplinas precisam para dar-lhes as qualidades genuínas do *budo*. Eu diria que uma disciplina como o *karate* possui potencial para ir além do *kendo* atual no campo do *budo*, porque o modelo prático do *karate* é mais adaptado à modernidade, enquanto que ninguém pode deixar de ver a disparidade entre *kendo* e modernidade. Todavia, a consciência do *budo* do praticante de *karate* está muito atrás daquela do praticante de *kendo*.

Na realidade, hoje, o autoexame quanto à sua qualidade de *budo* é apropriado para praticantes de todas as disciplinas de artes marciais tradicionais japonesas. Respondendo a esse questionamento, é necessário ter uma visão ampla do mundo do *budo*. Visão ampla é necessária a fim de analisar a situação atual do Japão e de outros países e para desenvolver uma teoria e método para a comunicação do *budo* que seja capaz de responder plenamente a essa situação. Por essas razões, penso que é essencial a evolução e progresso por parte dos mestres e estudantes japoneses.

Esses fatores positivos e negativos me parecem refletir problemas fundamentais da comunicação intercultural.

De fato, um tema corrente de discussão no Japão é a possibilidade de praticar o *budo* como um meio de cultivar o ser humano como um todo e de propagar as várias disciplinas do *budo* em escala global. De meu ponto de vista, tal tentativa só tem sentido se descobrirmos outro modo de apreender a essência do *budo* que o dissocie da cosmogonia japonesa. É essa dimensão do *budo* japonês que me dedico a definir. Somente essa dimensão me possibilitará levar a essência do *budo* para a cultura ocidental. Aprofundando um pouco mais, em minha opinião não há apenas um *budo*, mas sim múltiplas possibilidades para a prática e apreciação do *budo*.

Sendo assim, poderia dizer que a maioria dos mestres japoneses, especialmente os mais velhos, tem bem pouca consciência da multiplicidade de visões de vida com as quais o *budo* é confrontado hoje em dia, principalmente por causa de sua educação e também por causa das barreiras de linguagem e de sua falta de experiência em se comunicar com estrangeiros.

3

O problema do budo para praticantes estrangeiros

Quais são os problemas mais encontrados por estudantes estrangeiros, particularmente ocidentais?

O caminho, para os japoneses, é relacionado com a vida inteira da pessoa. A noção de *budo* envolve o esforço para o aprimoramento de si mesmo, o que quer dizer o aprimoramento do ser em sua totalidade, por meio da prática de artes marciais. Essa expressão é compreensível para os ocidentais, mas eles não lhe atribuem o mesmo significado que os japoneses.

O caminho para elevar a qualidade como ser humano através da prática do *budo* é derivado no Japão, como vimos, das ideias do budismo e do xintoísmo. As pessoas são capazes de atingir o estado de Buda, um estado divino, e são capazes de tornar-se unas com o deus de um santuário em particular. Podemos citar, por exemplo, o santuário Hayashisaki-Jinja, onde o fundador da escola Iai, Hayashisaki Jinsuke-Shigenobu, é venerado como igual a um deus. Existe um grande número de santuários onde uma pessoa é venerada como um deus. Essa noção pressupõe que as pessoas são capazes, por meio de seu esforço, de chegar a um estado de perfeição durante a vida. Todas as pessoas têm o potencial de, por meio da elevação de seu valor humano, mudar a qualidade de seu ser e obter um nível de mérito que é inseparável de uma forma do absoluto. Essa visão é manifestamente diferente daquela da cultura cristã, em que a distância entre humanos e Deus é insuperável.

Discussão filosófica e ética, as artes marciais japonesas ou *budo* são baseadas fundamentalmente na concepção budista e xintoísta do mundo e em um universo no qual não há absoluto porque nada existe que seja relativo. O universo não é fundado sobre o conceito de Deus/Absoluto. Conheço diversos mestres japoneses de artes marciais que são cristãos. Embora sua fé seja cristã, isso não os impede de ter um senso da energia universal no sentido xintoísta e budista.

O *budo* se assenta sobre essa concepção do mundo e essa forma de sensibilidade, e dentro disso, a ideia de treinar, cultivar, é central. Desenvolver essa ideia no contexto de outras culturas seria, de certo modo, estender a generosidade da lógica budista de dar vida à realização por meio da abolição de si mesmo. Toda pessoa é considerada capaz de aspirar pela busca da perfeição percorrendo o caminho. No *budo*, essa busca é realizada por meio do treinamento intensivo de técnicas físicas.

Através desse processo, a prática do *budo* leva, de certo modo, estudantes ocidentais, assim como mestres japoneses, a duvidar e questionar seu modo de ser. Para os ocidentais essa não é uma questão de adotar o que poderíamos chamar de japonesismo. Alguns ocidentais parecem viver de um modo mais japonês que os japoneses. Penso que abdicar da própria identidade ou torná-la ambígua não ajuda; muito pelo contrário, a abordagem do *budo* conduz ao fortalecimento da identidade pois possibilita que se viva intensamente no aqui e agora, a cada momento. Praticar *budo* fora do Japão significa que os praticantes têm que desenvolver a própria identidade sem depender dos modelos japoneses.

Certos especialistas ocidentais definem *budo* de outra maneira; eles observam as características comuns das diversas disciplinas das artes marciais. Desse modo, produzem um catálogo que não tem estrutura. Sua abordagem falha ao não levar em consideração a qualidade específica do *budo*, que reside na noção de treinar ou cultivar o ser humano mais do que nas particularidades dos movimentos empregados nas diversas disciplinas.

Jisei Budo, "Forme o *budo* através daquilo
que o forma a si mesmo",
Por Misako Tokitsu

自成武道

4

Uma chave para o *budo*

A ideia do caminho aparece espontaneamente quando o esforço para obter a realização pessoal é associado com a prática progressiva de artes marciais ao longo do tempo. Em outras palavras, enquanto esse senso de esforço não aparece, a prática não pode conter a ideia do caminho e, como resultado, não será *budo*.

No senso estrito do termo, *budo* não designa qualquer disciplina de artes marciais em particular, mas antes a qualidade da maneira como a pessoa pratica a disciplina e o conteúdo disso. Assim, não é porque alguém pratica seriamente *kendo*, *aikido*, *karate-do*, a arte do bastão (*jodo*), tiro com arco (*kyudo*) – em suma, qualquer uma das diversas disciplinas que têm o sufixo *do* – que pratica *budo*. Quando a prática da disciplina física espontaneamente contém um esforço para cultivar a si mesmo como uma pessoa inteira, o esforço que é próprio do caminho, é que se torna *budo*. A prática irá então começar, através da técnica, a tornar-se insepará-vel da busca pelo significado da vida. Enfatizo "através da técnica", porque o significado da vida pode ser associado com qualquer outra atividade. No *budo*, a procura da qualidade da técnica está diretamente relacionada com a busca pelo significado da vida.

Assim, *budo* não constitui um gênero particular entre as disciplinas de combate, mas sim a maneira pela qual alguém se engaja numa disciplina da arte de combate ao procurar eficácia.

Portanto, é apropriado pensar no *budo* em dois sentidos: como um tipo de disciplina e como uma relação subjetiva. Por exemplo, logo que uma pessoa começa a praticar *kendo*, *aikido* ou *karate*, entrando em uma associação ou *dojo*, está praticando uma das disciplinas do *budo*. Mas o conteúdo de sua prática permanecerá meramente aquele de um esporte de combate de origem oriental enquanto ela não descobrir, em seu modo de aplicá-la, um sentido subjetivo de treinar-se e cultivar a si mesma, ou enquanto não houver a fusão entre o processo de melhoria de sua técnica com o processo de melhoria de seu ser como um todo.

Acho interessante citar uma passagem de uma carta que recebi no começo de 1999 de um mestre de *kendo*, um homem de 77 anos de idade, a quem respeito muito e considero um dos meus professores no caminho do *budo*. Quero apresentar essa passagem porque ela ilustra perfeitamente esse processo e as dificuldades que ele envolve. As palavras e frases dessa passagem evocam um tipo de intuição; elas são pessoais e não serão claras para todos, porque não são baseadas no tipo usual de argumentação, mas ganham significado para uma pessoa que esteja praticando *budo*.

No momento, estou dirigindo o treinamento de inverno, *kangeiko*, das 5h30 às 7h. A luz das estrelas é aquela do *ki*, o movimento das nuvens é aquele do *ki* e o sol emana o *ki* que queima, que é o *ki* do tomar a iniciativa, *sen*. O *ki* do cosmos, mais distante que o sol, é o *ki* da iniciativa antecipada, *sen-sen*. Continuo em meu treino, usando meu precioso tempo para fortalecer-me através do *ki* enquanto o fortaleço e o alimento, a fim de chegar mais perto da verdade universal. Faço esforços para atingir o estágio de ir além da vida e da morte, a fim de deixar que meu ser se funda com o universo. Esse é o momento mais tranquilo para me comunicar silenciosamente com o universo. Esse é o retorno para si mesmo e o retorno para o vazio. Treino a mim mesmo segurando a espada de bambu, *shinai*, como a espada com a qual tento conseguir a fusão da técnica com o entendimento.

Para mim, esse texto é perfeitamente claro e o percebo através das sensações concretas da experiência viva do *budo* que ele me evoca. Lendo o texto, um japonês, mesmo que não pratique *budo*, preenche e completa o que é deixado vago – pois o espaço ambíguo dessas sentenças está preenchido pelo conteúdo da noção de *ki*, uma palavra que evoca sensações físicas. Traduzidas para o inglês, cada palavra assume uma conotação precisa e esse modo de falar não mais deixa espaços vazios. A expressão é muito pessoal e é entendida desse modo em japonês. Traduzida para o inglês, assume um sentido universal que não tem em sua língua original.

O esforço para cultivar a si mesmo, no sentido que mencionei, não aparece aqui de um modo abstrato, mas de uma maneira que é baseada em sensações corporais concretas. Essa é uma sensação corporal que qualquer ser humano pode entender, independentemente de sua origem cultural. Em outras palavras, essa sensação corporal é a chave que permite a qualquer pessoa praticar *budo* total e completamente, ultrapassando obstáculos culturais.

Em que consiste essa sensação corporal? Em japonês, ela é expressada pela ideia de *ki*. Vimos agora mesmo um exemplo disso.

Como uma pessoa pode estar certa de que sua prática de artes marciais está se tornando *budo* e de que não está criando uma ilusão? Há um elemento que serve para indicar isso, que faz do *budo budo* e que ao mesmo tempo o apoia em seu progresso. Esse é o *ki*. Nesse sentido, *ki* é a chave para a prática do *budo*. Estamos tratando aqui de uma certeza interior, que é extremamente difícil de explicar em palavras, mas que é comunicável fisicamente. É por isso que, depois de ter esclarecido a noção japonesa de *ki*, examinaremos como isso é praticado em relação a situações diferentes, para captar plenamente essa noção única que simultaneamente envolve o corpo e a mente.

5

Ki na cultura japonesa

Na língua japonesa, um grande número de expressões contêm a palavra "*ki*", e outras a pressupõem. Tive que lidar com essa situação quando estava traduzindo o texto de *Escritos sobre os Cinco Elementos*, de Miyamoto Musashi, para meu livro *Miyamoto Musashi*.*

Nesse texto, Musashi usa o palavra *kokoro* um grande número de vezes. Essa palavra é geralmente traduzida como "mente", mas não pode ser traduzida por apenas uma palavra. Dependendo do contexto, *kokoro* pode ser traduzida como "mente, sentimento, sensação, sentido, pensamento, ideia, significado, coração, centro, núcleo", e assim por diante.

Contudo, mesmo depois de usar essas várias palavras para traduzir *kokoro*, ainda permanece um sentimento de incompletude na tradução. Gastei muito tempo tentando

---

* Kenji Tokitsu, Miyamoto Musashi (Éditions DésIris, 1998).

descobrir o porquê disso antes de entender que Musashi, ao usar as palavras, estava assumindo como base uma sensação com a qual os japoneses daquele período, especialmente os praticantes das artes marciais, estavam familiarizados e que compartilhavam. Ele estava, de certo modo, investindo esse meio de expressão com toda a sua real experiência vivida. (Estou usando a palavra "meio" aqui no sentido de um meio ou aglutinante de pigmentos, por exemplo, óleo.) É por isso que, enquanto não captarmos a natureza desse meio, as expressões de Musashi permanecerão incompletas – de certo modo, como se fossem vistas com apenas um olho. Permanecerão ambíguas. Se estamos conscientes da presença implícita desse meio, suas expressões tornam-se substanciais. O que é o meio? Aqui, de novo, estamos falando sobre *ki*.

De fato, uma vez que li seu texto e o completei tendo em mente o sentimento subjacente de *ki*, seu significado tornou-se muito mais claro. Mas como fazemos para que esse elemento não falado passe para a língua inglesa? Esse é o problema fundamental na tradução de textos japoneses, particularmente os mais antigos.

Também é necessário entender que o significado de escrever era diferente para os japoneses da época de Musashi. Por exemplo, no certificado escrito de transmissão muitas vezes encontramos as palavras "Se acontecer de eu trair essa confiança, deverei ser punido por tais e tais deuses", usadas tanto pelo mestre que está concedendo o certificado como pelo discípulo que o está recebendo. Desse modo, no final do certificado de transmissão escrito por Kamiizumi Nobutsuna para Yagyu

Sekishusai, encontramos a seguinte sentença: "Se acontecer de eu trair o que acabei de escrever, deverei ser punido por Marishiten, Hachiman Daibosatsu, Tenmam Tenjin, Kasuga Daimyojin e Atagoyama".

Citar o nome de diversos deuses desse modo era um testemunho do mais sério dos compromissos. Escrever o nome de um deus indicava um compromisso ao nível de vida e morte. Os japoneses do período estavam imbuídos de um senso da presença do divino na natureza. Essa atmosfera despertava uma consciência da sensação do *ki*. Há não muito tempo atrás, o povo japonês ainda vivia com um sentimento da importância daquilo que não é visível. Em minhas memórias de infância no Japão, esse tipo de sensação está presente.

Através da sensação de *ki*, os japoneses parecem haver captado o sentido dos fenômenos naturais sem tentar explicá-los. Eles não excluem as sensações vagas do domínio da fala. Penso que essa é uma das razões pelas quais encontramos um grande número de palavras onomatopaicas na língua japonesa. Quando precisam verbalizar o elemento intermediante, o meio que corresponde a certas sensações ou sentimentos vagos, os japoneses usam a palavra "*ki*". Como resultado, a sensação de *ki* parece estar situada num nível mais profundo e arcaico que as sensações que se tornam objeto de conhecimento.

Uma das peculiaridades da cultura e da sociedade japonesas me parece ser o fato de que os japoneses continuaram a dar um lugar importante a esse tipo de percepção mesmo quando desenvolveram uma lógica moderna.

6

A concepção japonesa de *ki*

A credito que a sensação corporal de *ki* está comumente presente na experiência humana, mas que a forma tomada pela interpretação dessa sensação varia de cultura para cultura. Por exemplo, o aspecto lógico é muito mais desenvolvido nas línguas ocidentais do que na língua japonesa. Nas línguas ocidentais não existe – e essa é uma das maiores dificuldades para a tradução – uma palavra equivalente a *ki*. Em japonês, esse termo abrange várias sensações e impressões que são misteriosas, vagas e intangíveis, que tocam algo na parte mais profunda de nosso ser, algo que está conectado a um nível de compreensão que é provavelmente arcaico ou reprimido.

Esse corpo de impressões difíceis de definir está presente na experiência da vida do dia a dia, na literatura e nas artes do Japão. Quando é necessário nomeá-lo, as pessoas chamam-no de *ki*.

A exclusão dessas sensações e impressões da terminologia explícita das línguas ocidentais me parece um corolário do caráter lógico dessas línguas. Pensamento racional provavelmente desenvolvido através da repressão dessa sensibilidade. O espaço é permeado por diferentes energias e sabemos que esse espaço existe sem sermos capazes de definir seu conteúdo. Todo dia usamos aparelhos de televisão, rádios e telefones portáteis que utilizam ondas eletromagnéticas que não são nem visíveis nem tangíveis sem equipamento especial. Foi só em tempos relativamente recentes que a ciência foi capaz de demonstrar a existência dessas ondas. Contudo, quando se trata de *ki*, não é raro que as pessoas que se consideram racionais rejeitem a ideia *a priori*, porque o *ki* não é tangível e, sem dúvida mais profundamente, porque está conectado à experiência subjetiva. O fato é que *ki* não é um conceito abstrato; é um conceito que surge do ouvir as sensações corporais por meio das quais se percebe o ambiente e também, ao mesmo tempo, a maneira como a pessoa está situada nele.

Ki é sentido por meio do corpo e é dada a ele uma representação mais ou menos definida, dependendo da cultura em questão. A sensação de *ki* é intensificada quando a autoconsciência especulativa é empurrada para um segundo plano. Isso acontece em graus variados, dependendo de quanto as pessoas queiram abandonar seu ego em favor do que as cerca. Se o ego é reforçado, a sensação de *ki* diminui. De um certo modo, o estado da mente de alta consciência do *ki* vai contra o processo cartesiano. Ao estar atento à sensação de *ki*, a pessoa se dissolve em seu ambiente pois diminui a sensação de ter a própria existência como centro. Essa atitude está na raiz das diferentes técnicas de fortalecimento do *ki*.

Essas técnicas, que eram originalmente religiosas, também foram usadas há muito tempo com propósitos terapêuticos. Hoje, no Japão e na China, estão sendo desenvolvidos métodos de terapia nos quais tais técnicas são separadas de suas origens místicas e aplicadas em conjunto com meios médicos para curar através da estimulação do *ki*. Em japonês, *ki* não é definido pelo esclarecimento de suas características; o termo é usado mais quando se sente a presença de algo que não pode ser claramente apreendido. A língua japonesa deixa um espaço indefinido em seu modo de expressão. Parece-me que é somente por meio do corpo que podemos explorar esse espaço; ao esclarecer o papel desse espaço, podemos avançar na área da técnica física.

O mesmo ideograma é pronunciado *qi* em chinês e *ki* em japonês. Mesmo que o significado seja similar em sua maior parte, há certas diferenças entre a ideia japonesa de *ki* e a ideia chinesa de *qi*. Em ambos os países, existiram disciplinas destinadas a desenvolver a capacidade para *qi* ou *ki*, por longo tempo. Elas foram propagadas desde os anos 1970 sob o nome de *qigong,* em chinês, e *kiko,* em japonês. No presente trabalho, vou me limitar a tentar esclarecer o conceito japonês de *ki* tal como se aplica ao domínio das artes marciais.

De acordo com o pensamento japonês, *ki* é uma entidade que torna possível a vida e a existência das coisas no universo. É portanto mais do que "energia vital", como é geralmente traduzida. *Ki* existe nas coisas que nos parecem desprovidas de vida orgânica, como as pedras e também em fenômenos naturais como o vento ou a chuva. *Ki* também reside nas montanhas, no mar etc. Visto dessa maneira, *ki* parece como uma extensão do primitivo pensamento animista. Contudo, hoje, quando a civilização é confrontada com um conjunto diferente de problemas, incluindo a destruição do ambiente natural, essa linha de pensamento, rejeitado por um tempo como arcaico, está agora levantando novas questões.

Atualmente existem diversas tendências que tentam recuperar qualidades do ser humano que parecem ter sido perdidas no curso do "progresso". Não há dúvida de que a acuidade de nossos sentidos de audição, olfato, tato e visão, que desempenharam papel vital no passado distante, ficou entorpecida quando nossos sentidos foram suplantados por dispositivos materiais. Isso levantou questões sobre outras capacidades perceptivas que os humanos modernos podem ter perdido e provocou o interesse por diferentes métodos de se conseguir bem-estar. Uma pesquisa feita nessa área trouxe à luz capacidades perceptivas corporais esquecidas e levou à descoberta de um novo nível de percepção, tornado acessível pelos avanços científicos. Foram feitas muitas tentativas de encontrar explicações científicas para os mistérios escondidos no ser humano. O conceito freudiano de libido toca em algo profundo da natureza humana e acredito que isso coincide parcialmente com a ideia de *ki*.

Na perspectiva que se desenvolveu no Japão, estudar ou desenvolver *ki* na prática do *budo*, ou *kiko*, consiste em tornar-se sensível ao *ki* no próprio corpo como um todo, então ao fenômeno externo do *ki* e finalmente ao *ki* do universo. Isso implica ser permeável ao *ki* do universo e sentir que o corpo é parte do universo preenchido de *ki*.

Quando a sensação de *ki* está suficientemente desenvolvida, o *ki* do corpo está em harmonia com o *ki* do universo. Os vários métodos de *kiko* são métodos por meio dos quais as pessoas procuram tornar-se permeáveis à realidade do *ki* universal. O último estágio da prática de *kiko* é *furen shuten*, no qual o corpo torna-se permeável ao *ki* no grau mais alto possível. Nesse ponto, se tem a maestria sobre o *ki* sem a mais leve intenção. Há uma comunicação livre com o *ki* universal; sem precisar de exercícios, vive-se com *ki*. Esse é o estágio mais alto, o ideal perseguido por aqueles que praticam *kiko*.

A ideia de *ki* universal pode se tornar compatível com o pensamento ocidental somente com dificuldade, mas devo sublinhar que implícita ou explicitamente ela é essencial à concepção japonesa de *ki*.

Sem atingir o ponto de *furen shuten*, quando desenvolvemos suficientemente nossa sensibilidade ao *ki*, nos tornamos conscientes de que nossa atividade mental é inseparável daquela do *ki*. Nesse nível, podemos sentir uma correlação entre as palavras e o *ki*; em conexão com as palavras, *ki* está sujeito a pressões mais ou menos pesadas. O fato de nomear coisas, de definir precisamente o sentido das coisas ou o sentido de nossas ações, inevitavelmente causa uma modulação de nosso *ki*, porque o contorno do *ki* tal como definido pelas palavras, quando o significado é estreitamente circunscrito, elimina qualquer significado latente. Esclarecer e definir implica eliminar ou suprimir os contornos vagos e imprecisos do sentido latente. Esse meio de definir em palavras implica uma redução do *ki*, que é sempre global, holístico. Desse modo, nomear um sentimento de amor reprime o ódio que está contido nele. O budismo nos ensina a confrontar esse conglomerado de sentimentos sem basear distinções em oposições circunscritas, como no estilo ocidental. Assim, "amor" pode ser traduzido como *ai* e "ódio" como *nikushimi(zo)*, mas uma máxima de origem budista afirma que os dois equivalem à mesma coisa.

Se nos constituímos como seres sociais por meio de palavras, ao mesmo tempo a definição de coisas que as palavras implicam elimina uma parte da realidade de nossa experiência vivida e, como resultado, deixa de fora uma parte significativa do *ki*. Desse modo, não é por acaso que os taoistas assim como os budistas buscam um estado mental à parte do sistema de palavras. Eles procuram apreender a essência das coisas sem delimitá-las e deformá-las por meio das palavras. Esse é um estado de vazio ou não pensamento.

Assim, o sistema de palavras com o qual estamos tão profundamente impregnados é também um dos obstáculos encontrados na prática do *ki*.

Contudo, não estamos sugerindo de modo algum que se tente recuperar o estado de um ser humano primitivo. Estamos falando sobre um esforço de recuperar ou restabelecer as qualidades, sensibilidades ou as faculdades que perdemos no curso do desenvolvimento de nossa civilização. De certo modo, *kiko* objetiva dotar o ser civilizado com as qualidades primitivas que perdemos. Assim, não é uma questão de tentar voltar para trás. Pelo contrário, estamos falando sobre um esforço de parte de seres civilizados para ir além das barreiras com as quais foram confrontados e sobre fazer isso pela mobilização de seus próprios meios para restabelecer faculdades que ainda estão potencialmente presentes.

Aparecem as palavras, o *ki* é modulado de acordo com o sentido delas e é reduzido no processo. Como podemos separar-nos de palavras enquanto vivemos com linguagem? Essa é uma das chaves para os métodos de *kiko*. Em *kiko*, usamos imagens, sons e movimentos em vez de palavras para aumentar a profundidade para além das palavras, de forma a conduzir nosso ser ao mundo do *ki*.

7

O conteúdo do combate no kendo

Para superar os obstáculos culturais e obter a chave para o *budo*, é necessário cultivar nossa sensibilidade para a sensação de *ki* e permitir que sejamos guiados em amplitude e profundidade por essa sensação através das técnicas físicas de combate. O aprendizado no *kendo* é exemplar para uma exploração do *ki* por meio de técnicas de treinamento progressivo.

No *kendo*, inicialmente o estudante aprende o que é *ki* de um modo simples, pela expressão *ki ken tai ichi*, que designa a integração simultânea do *ki*, da espada e do corpo na técnica de golpear. Com o passar dos anos, o praticante de *kendo* irá aprender quão importante é tomar a ofensiva durante o combate. Um dos métodos básicos para chegar a isso é *seme*. Essa noção complexa merece uma explicação, porque na prática o nível do praticante se reflete diretamente na qualidade da *seme* do praticante.

Seme significa literalmente "ofensa", no sentido de uma ofensa no nível mental e não no sentido de um gesto ofensivo físico. Contudo, *seme* consiste num movimento de ataque ou na simulação dele. Aqui aparece um tipo de oposição entre o corpo e a mente que é apreciavelmente diferente da clássica oposição ocidental entre eles. Chamarei isso de dualismo japonês. A mente guia o corpo mas, num certo momento, a situação pode ser revertida. Em termos mais gerais, a pessoa pode alcançar a mente através do corpo e a mente é capaz de ser fortalecida pela prática física. Além disso, se o corpo, guiado pela mente, consegue realizar um determinado avanço significativo, coloca-se no mesmo plano que a mente – a tal ponto que se pode falar de uma fusão de corpo e mente. Nessa base, seu corpo pode conquistar a mente de outra pessoa. Praticantes das artes marciais que ultrapassaram certos limites, ou monges que praticaram certos exercícios físicos ascéticos, conseguem essa fusão e vários métodos foram elaborados para conseguir isso. Na crença japonesa tradicional, é normal considerar que os grandes mestres são capazes de exercer poder sobre espíritos ou demônios que uma pessoa comum seria incapaz até de enfrentar.

Essa concepção tem um papel definido nas artes marciais japonesas. Traz à tona a ideia de que, a fim de obter uma conquista fisicamente, é necessário primeiro conquistar a mente; depois, é através da conquista do corpo que se pode conquistar totalmente a mente. *Seme* se expressa em movimentos, mas estes objetivam primeiramente atingir a mente de seu oponente.

Durante o aprendizado de *kendo*, a pessoa começa a se aproximar de *seme* por meio de atitudes ou movimentos que comunicam sua combatividade a seu oponente. *Seme* envolve muito mais do que as fintas que são usadas na luta. A noção de *seme* é muito mais profunda que aquela de finta. Para uma finta ser bem-sucedida, seu oponente tem de confundi-la com um movimento de ataque real. A finta é uma tática para fazer o oponente acreditar que o falso é real. Objetiva provocar uma reação adequada. No Ocidente, as pessoas falam de uma finta bem-sucedida ou malsucedida e ao fazer isso descrevem somente o movimento, porque a noção de *seme* não existe. Se a finta é bem-sucedida, é porque ela constituiu o que se chama *seme* em japonês. O ponto é, se a finta teve sucesso, foi porque o gesto, por mínimo que tenha sido, conseguiu perturbar a mente do oponente. Por isso é que seria impreciso definir o processo de aprender *seme* por meio da descrição de movimentos. O gesto de *seme* é o que comunica algo essencial.

Num nível mais avançado, tentamos provocar um movimento na mente do oponente sem produzir nenhum sinal exterior. Nesse estágio, tomamos a ofensiva principalmente através do *ki*. Isso é chamado de *kizeme*: ter sucesso em desconcertar o oponente através da emanação do próprio *ki* sem nenhum gesto visível. A diferença entre *seme* e *kizeme* reside no lugar ocupado pelo movimento ou gesto. O que os dois têm em comum é que ambos procuram causar uma mudança na mente do oponente através do *ki* – a necessidade de conectar isso a um gesto, a um movimento, é maior ou menor dependendo do nível.

"Causar uma mudança na mente do oponente" significa que esse ato provoca no oponente o movimento de toda uma acumulação de experiência de combate, atualizando memórias corporais sobre as quais a antecipação é baseada. Desse modo, quem não tem experiência de combate não reagirá de um modo técnico em resposta a *seme* ou *kizeme*.

Olhado de outro modo, o que a pessoa está fazendo é jogar um jogo sutil inerente ao combate, nada mais. O que existe nessa tática que poderia torná-la um elemento para o cultivo e o treino do ser humano por inteiro? O que torna possível que alguém influencie o oponente não é um movimento, falso ou real; é o fato de que coloca o peso da existência no ato. Somente fazendo isso é que o ato ganha valor no momento do combate. *Seme* ganha significado ao refletir o peso de um ser. É dessa maneira que podemos tentar não ser perturbados pela *seme* do adversário. "O peso de um ser" significa aqui corpo e mente. Nosso corpo pode ser perturbado mesmo que pensemos que a mente está lúcida. A mente pode ser perturbada mesmo que nosso corpo pareça estável. Por causa disso, o jogo de aparências de *seme* exige corpo e mente para sustentá-lo diretamente. Por causa disso, *seme* constitui o referencial fundamental no combate de *budo*. É por meio de *seme* que podemos explorar o domínio mental do *budo*. Essa noção foi desenvolvida na prática de *kendo*. Mas para as outras artes marciais, nas quais há golpes e pancadas, existe a possibilidade de integrar *seme* a fim de ultrapassar o simples nível de lutar para vencer. É por essa razão que farei uma análise de combate em *kendo*.

Kendo é uma disciplina moderna das artes marciais, desenvolvida a partir da arte da espada dos guerreiros japoneses. É praticada com espadas feitas de bambu laminado (*shinai*), capacete e armadura protetora. Essa forma foi elaborada no início do século XIX e evoluiu juntamente com a modernização do Japão. Após a Segunda Guerra Mundial, passou por uma reforma que lhe deu a presente forma. Como a esgrima ocidental, é uma forma de combate com regras precisas na qual dois adversários se enfrentam. Golpes estão limitados à cabeça, pulsos e tronco, e estocadas com a ponta limitadas à garganta e ao peito. Almofadas protetoras tornam possível evitar ferimentos, mas os golpes podem ser sentidos e são dolorosos até certo ponto – o suficiente para criar apreensão sobre ser atacado.

Durante uma luta de *kendo*, se concentramos a atenção no modo como os combatentes cruzam seus *shinai*, é possível ver que quando as pontas se cruzam, fazem movimentos sutis, que às vezes são calmos e às vezes leves e rápidos. Esse é o combate de pontas, o combate implícito no qual os praticantes de *kendo* se engajam para assumir o controle da linha central, ou linha vital, de seu oponente, a fim de lhe impor sua iniciativa de ataque, para criar uma situação na qual o golpe seguramente atingirá seu objetivo. O combate mais importante tem lugar nessa troca que aparenta não ser particularmente dinâmica. Aqui encontramos o significado da famosa máxima: "Não vencer após haver golpeado, mas golpear após haver vencido". "Após haver vencido" significa especificamente após haver vencido no combate de pontas e de *seme*.

O momento em que os dois adversários se enfrentam é o momento em que começa aquilo que vou analisar como intercâmbio de *ki*. Os gestos de *seme* são um meio de projetar o *ki* sobre seu oponente. Se o ato de *seme* influencia a atitude de seu oponente, é porque esse ato toca e provoca uma mudança na percepção de orientação do oponente. É por isso que, mesmo num estágio em que a pessoa esteja fazendo *seme* sem estar consciente do *ki*, a essência de *seme* ainda é *ki*.

Acho que esse nível de combate é desconhecido em muitas disciplinas (por exemplo, *judo*, *karate* ou boxe) nas quais a consciência dos praticantes é limitada aos elementos mais diretamente perceptíveis: velocidade, força, agressividade, e assim por diante. Esse tipo de combate representa um nível de percepção que é difícil de estabilizar num combate de golpes como o *karate*, mas se os praticantes de *karate* querem praticar *budo*, eles não têm escolha a não ser assumir essa forma de combate. Pessoalmente, minha preocupação principal é atrair a atenção para a possibilidade de aplicar essa forma de combate à prática de *karate*.

8

Espaço nas artes de combate

Como vimos, o significado da palavra "*ki*" é mais amplo que o indicado por sua tradução usual, "energia vital". Contudo, se focamos na dimensão de *ki* da energia vital, podemos discriminar dois tipos de atitudes corporais relacionadas à sensação de *ki*.

O primeiro deles é o que se pode ter ao se contrair, como se comprimíssemos a sensação de energia no corpo. Contraímos a parte inferior da barriga concentrando a atenção nela; ou, se já somos avançados em *karate*, podemos evocar a sensação que sentimos quando executamos os *katas sanchin* ou *hangetsu*, nos quais nos enchemos de força contraindo os músculos. O objetivo nesse ponto não é simplesmente contrair todo o corpo mas integrar as tensões gerais do corpo com a respiração, a fim de gerar o corpo energético, o corpo que se relaciona com a técnica.

Nessa situação na qual os músculos são chamados a atuar numa contração vigorosa, a sensação de *ki* está imediatamente presente de um modo distinto. Ao mesmo tempo, é centrípeta, isto é, está fechada no corpo. Integrar as tensões gerais do corpo requer um período de aprendizagem. Não é fácil, mas o primeiro grau desse caminho de mobilização do *ki* é relativamente fácil de notar, mesmo para pessoas sem muita experiência.

A segunda atitude é a que se pode ter quando soltamos a tensão e relaxamos e expandimos a sensação física ao ponto de ela se difundir no espaço. Sente-se a sensação de tocar uma árvore distante, uma montanha... o corpo torna-se uno com o ar. Nessa situação, contrariamente à primeira, a sensação de nosso ser físico é mais vaga e tende a dissolver-se no meio em que estivermos.

Os métodos de fortalecimento do *ki* nas artes marciais integram diversos elementos que nos trazem de volta àquelas duas atitudes; alguns deles dão precedência à primeira e outras à segunda. É isso que cria a variedade de métodos. Mesmo que o método que está sendo usado for muito equilibrado, não deveria ser aplicado de um modo mecânico, porque é necessário ter em conta a evolução e a mudança da pessoa que pratica o método. Um homem ou mulher que, inicialmente, faz o melhor uso da primeira forma (contração), num estágio mais avançado estará mais capacitado a apreciar a segunda (liberação). Os dois tipos de elementos coexistem em proporções variáveis.

Contudo, em todos os métodos válidos, à medida que a pessoa avança na prática das artes marciais, os elementos de liberação e relaxamento tomam sempre maior importância.

Por quê?

A primeira forma constitui um ponto de partida adequado para o estudo do *ki*. Ela se torna, de certo modo, o núcleo ao redor do qual mais tarde, através do relaxamento do corpo, pode-se desenvolver uma grande esfera de consciência da energia, cuja sensação se difunde no espaço. Contudo, se a pessoa se limita a praticar o método que foca em contração, será difícil ir além dele para o nível avançado. De fato, ela acabará adquirindo a tendência a perseverar no exercício extremo de contração muscular, que o levará a um certo tipo de impasse. Além disso, à medida que a pessoa envelhece, seu metabolismo muda e esse tipo de contração irá revelar os pontos fracos em seu corpo, enquanto outras formas de exercícios baseadas no relaxamento permitirão melhorar seu desempenho. É por isso que a aplicação de métodos tem que variar de acordo com a idade – o método está sendo aplicado por uma pessoa que está evoluindo e mudando.

Muitas vezes ouvimos dizer, em certas escolas de *karate* nas quais o método "duro" é favorecido, que os praticantes são muito fortes até chegarem aos 40 anos, mas quando se aproximam dos 50 frequentemente encontram problemas de saúde. Não tenho estatísticas, assim não posso confirmar isso, mas compartilho dessa impressão à luz de minha própria experiência e observações.

Com base nessas considerações preliminares, gostaria de avançar as seguintes hipóteses.

O combate de *seme* é baseado no espaço projetado pelo *ki* através das técnicas empregadas pelos combatentes. A sensação de *ki* desenvolve-se quando o corpo é permeável à sensação do espaço que o envolve e é facilmente mascarado quando as sensações corporais encolhem, como resultado da polarização da atenção da pessoa. Contato delicado ou gentil com a pele acentua a sensação de *ki*, enquanto que um contato duro ou violento com a pele tende a impedir aquela sensação de se desenvolver.

Vimos que no *kendo* os combatentes enfrentam-se numa distância que desenvolve e torna real a sensação de *ki*.

Na prática do *judo* moderno, a pessoa se encontra imediatamente corpo a corpo com seu adversário e está lidando com um tipo de contato físico no qual a pressão e a força predominam. Essa forma de combate quase não requer que ela desenvolva a habilidade de captar a intenção de seu adversário através do espaço que os separa. Uma vez que ela não tem tempo suficiente para detectar ou para influenciar as intenções de seu adversário antes de entrar em pleno contato corporal, é difícil cultivar o *ki* do segundo tipo. O combate no *judo* requer *ki* do primeiro tipo e lhe permite fortalecê-lo. Mas é difícil desenvolver a outra forma de *ki* através desse tipo de combate, porque falta o espaço no qual ela poderia estender sua sensação.

Nesse sentido, no *jujutsu*, a arte da qual o *judo* é derivado, o combate face a face começa à distância e há maior possibilidade de desenvolver técnicas baseadas sobre o *ki* no espaço. *Jujutsu*, a arte guerreira de combate com as mãos nuas, destinava-se a ser usada contra um adversário, armado ou não. Envolvia o uso de diversas armas, como golpes de punho e pés e vários arremessos, chaves e imobilizações, e portanto também uma estratégia à distância assim como em contato.

No *aikido*, que também é derivado do *jujutsu*, as técnicas que foram desenvolvidas são baseadas mais na distância e avaliação de seu oponente e na percepção antecipada de um eventual ataque, o que favorece no conjunto o desenvolvimento de sensações de *ki*. Contudo, a prática tende a divergir da realidade do combate, porque há um senso de cooperação entre os dois parceiros quando se enfrentam. Desse modo, o desenvolvimento de *ki* é orientado para a sincronização, em vez de para a interação que constitui o combate.

Assim, em relação ao *jujutsu* clássico, podemos observar no *judo* e no *aikido* dois tipos claramente distintos de desenvolvimento ou evolução com relação ao trabalho com o *ki*.

No combate do *karate*, o espaço entre os adversários é tão importante quanto no *kendo*; é possível permitir que sua consciência penetre nesse espaço e capte a sensação de *ki*. Mas a urgência do contato, à medida que o combate continua e as trocas de técnica têm lugar, tende a impedir que os combatentes coloquem sua atenção plenamente sobre o que está articulando esse espaço, mesmo que eles permaneçam sensíveis às mudanças reais na distância espacial. De certo modo, o período de tempo muito limitado do combate impede a formação de uma percepção de *ki*. Além disso, o combate do *karate* envolve contato físico direto no momento em que a técnica é executada. A antecipação desse contato violento entre corpos impele a pessoa a formar um corpo defensivo através da contração muscular para dentro e isso tende a impedir a extensão da sensibilidade para fora e a minimizar a sensação de preencher o espaço.

Existem diversas formas de combate no *karate*. Elas variam de acordo com o método e o estilo das diferentes escolas. A forma clássica de *karate* sem contato possibilita maior oportunidade para o desenvolvimento da sensibilidade ao *ki*, mesmo que versões correntes da arte estejam longe de explorar essa possibilidade.

Na forma de combate com contato direto, em que a distância entre os combatentes é menor que no combate "sem contato", os combatentes antecipam o contato físico violento desde o início e isso tende a galvanizar o *ki* dentro do corpo e a impedir sua difusão para fora. Portanto, a possibilidade de abrir a sensação de *ki* é limitada.

Todavia, no *karate*, não importa que forma de combate seja, a oportunidade para o desenvolvimento do *ki* está praticamente aberta de forma ampla, uma vez que a distância entre os adversários desempenha um papel que é primordial para o combate.

Por que essa possibilidade foi tão pouco desenvolvida no *karate*?

Principalmente por causa de uma falta de consciência por parte dos praticantes do *karate*. A maior parte deles não sabe que uma tal esfera existe no combate. Combate tornou-se uma competição na qual a vitória é decidida por um juiz externo e não por uma qualidade e um conteúdo que os combatentes julguem por si mesmos. Eles não são treinados para adquirirem esse tipo de consciência. Poderíamos dizer que essa é uma deficiência na cultura do *karate*. Se essa é uma deficiência, tudo o que é necessário é remediá-la, porque a possibilidade é amplamente aberta. Mas o sistema de esporte competitivo está profundamente enraizado e apresenta-se como a única escolha para a maioria dos praticantes de *karate*. É por isso que eles ignoram essas possibilidades. Uma comparação com o *kendo* irá esclarecer esse ponto.

Comparado ao *judo* ou ao *karate*, o *kendo* oferece maior oportunidade de abertura para a sensação de *ki*, por duas razões. O espaço entre os combatentes é mais importante por causa do uso de uma arma, o *shinai*. A antecipação do choque dos golpes é um fator menor do que no *karate* por causa do uso de uma armadura protetora, e isso torna possível não fechar a sensação do corpo numa atitude defensiva que se torna principal. Quando praticam com uma espada de madeira, os combatentes não tocam um no outro, mas vão ao limite de quebrar o perímetro de segurança, que diminui à medida que os combatentes avançam em habilidade.

Desse modo, os praticantes podem avançar totalmente no espaço que os separa, sem contrair seus corpos em defesa. Portanto, essa forma de prática oferece uma melhor oportunidade para cultivar a sensação de *ki*.

Assim, é no *kendo* que podemos ver o papel do *ki* mais concretamente. Nesse aspecto, *kendo* é uma disciplina privilegiada. Todavia, o *kendo* parece ter sido anteriormente muito mais rico em técnicas físicas e ter tido uma abrangência técnica muito maior do que no presente. Comparado com sua tradição, o modelo corrente de *kendo* parece-me incompleto, especialmente no que diz respeito ao treinamento geral do corpo e às regras de combate. Penso que os praticantes atuais não podem deixar de tornar-se conscientes desses pontos se olharem mais profundamente a qualidade de *budo* do *kendo*, *kendo* "como *budo*".

Os praticantes das artes marciais, praticantes de *karate* entre outros, podem ganhar novos pontos de referência para sua prática estudando o conteúdo do *kendo* "como *budo*", porque representa uma das mais preciosas conquistas da prática dos guerreiros japoneses.

9

Ki, o guia para o budo

Podemos dizer que é no momento em que os praticantes começam a sentir o papel do *ki* vividamente que sua prática de combate tende a se constituir como um caminho e uma verdadeira consciência do *budo* começa a aparecer.

Por quê?

Sentir o papel do *ki* vividamente implica que o praticante está executando o combate de modo a tentar "golpear após haver vencido". Não se trata de tentar vencer golpeando de qualquer maneira mas de golpear com precisão. Para os praticantes, não há vitória a menos que golpeiem após haver vencido a batalha de *kizeme*, ou seja, após haver desconcertado seu oponente a tal grau que ele tornou-se vulnerável. Do mesmo modo, praticantes que atingiram um certo nível de realização podem sentir que perderam antes de receber um único golpe.

Assim, é necessário desenvolver-se para um nível de combate em que a precisão desse tipo de sensação é confirmada por um golpe aplicado com absoluta certeza. Um praticante que haja alcançado esse nível irá atribuir máxima importância àquilo que está subjacente ao combate, isto é, ao combate de *ki*, o combate que acontece antes de uma troca real de golpes.

Se ficamos desconcertados pela *seme* de um oponente, seu *ki* ofensivo, e esboçamos um movimento de defesa no vazio, é porque agimos explicitamente contra o que está implícito, isto é, respondemos a um fenômeno mental com um movimento físico. Fazendo isso, houve um erro em nosso discernimento da realidade. Se nos tornamos conscientes disso instantaneamente, experimentamos um sentimento de dissociação em si mesma, porque a mente não é capaz de impedir o corpo de fazer um gesto errôneo. Se esboçamos esse movimento fútil é porque o oponente conseguiu nos fazer mover-nos a despeito de nós mesmos. Portanto, nesse preciso instante, perdemos a possibilidade de tomar a iniciativa e, desse modo, perdemos sem receber nenhum golpe.

No *kendo*, a velocidade do ato de golpear é aumentada em muitas vezes pelo uso da arma e o reflexo da situação descrita acima é quase imediato, enquanto que no *karate*, em que a técnica é expressa diretamente com o corpo e o aumento da velocidade, uma vez que não há uso de arma, a ação do ataque é menos rápida e é mais fácil recuperar um atraso e corrigir um erro. É por isso que o reconhecimento consciente de um movimento errôneo, que um oponente conseguiu causar na pessoa a despeito dela mesma, é menos imediato, o que impede o processo de aprendizagem que lhe permitiria estabilizar sua mente nesse sentido.

No combate de *kendo*, quando a percepção está aberta para a interação de *ki*, perder no combate virtual é tão importante quanto receber um golpe real. Nesse caso, o problema passa a ser como distinguir o real do falso, como permanecer imperturbado diante de uma ofensiva do adversário, seja na forma de um movimento ou através do *ki*.

Quando estamos procurando uma oportunidade de atacar um oponente, executamos *seme* para vencer o combate de pontas de espada e fazemos com que o oponente mova a ponta de sua espada para fora da linha central, a linha vital. O oponente que permite uma abertura sem querer torna-se vulnerável. Nesse instante, desferimos o golpe, obtendo uma vitória incontestável. A vitória foi criada; não é uma questão de acaso ou sorte. Quando uma pessoa marca um ponto por sorte, se está numa competição, o juiz dirá que venceu, mas isso não vai deixá-la satisfeita, porque seu adversário terá permanecido imperturbado apesar do golpe e, como ela, ele vai considerar sua vitória como de pouco valor. Na competição, a decisão está nas mãos do juiz, mas isso não desativa a consciência dos combatentes. Se a pessoa é um competidor esportivo, fica satisfeito com a decisão a seu favor, mas se é um praticante de *budo*, dirá para si mesma: "Acertei um golpe, mas meu golpe não conseguiu fazer sua mente vacilar". Seu problema será então como causar um movimento na mente do outro através de seu *ki*.

Desse modo, o foco do praticante progride de uma preocupação com a técnica simples de movimento para o trabalho com um estado mental. Não se deixar desconcertar por *seme* e discriminar o falso do real nas ações de seu oponente resulta em conseguir percepção penetrante, que é sustentada por força mental. Contudo, seria errado dizer que há um nível em que só a mente é a força determinante, porque sem técnica física não há combate.

Budo tem uma estrutura dúplice: é necessário que se esteja sempre preparado para liberar a violência, mas também é necessário manter um estado de lucidez de tal modo que a mente possa perceber plenamente o que está acontecendo ao redor. Tal lucidez torna possível transformar a própria agressão em potencial mobilizável num estado de tranquilidade. Um poema de Miyamoto Musashi expressa esse estado mental:

A corrente do rio no inverno
reflete a lua
na água transparente como um espelho.

A ideia de mergulhar a mão nas águas geladas que se movem rapidamente evoca um frio que corta como a lâmina de uma espada. A corrente também está lá – o dinamismo do combate. Ao mesmo tempo, a superfície da água dá a aparência de pureza e calma. Se a superfície é perturbada, a lua se quebra em pedaços. Esse poema, que é frequentemente citado para descrever o estado da mente no combate de espada, realmente mostra os dois lados que o compõem – a violência e a calma. Um leitor que não pratique *budo* sentirá sem dúvida a beleza da frieza inflexível da imagem; um praticante perceberá nas profundidades dessa imagem a sensação de uma força ardente. Essa é a diferença entre comunicar com palavras e comunicar com o corpo. Essa diferença é mais que cultural; também estará presente entre os leitores japoneses dependendo de serem praticantes ou não.

No nível elementar de combate, especialmente quando a pessoa é jovem, um combatente que age agressivamente tem boa chance de conseguir uma vitória. Mas o nível do combate almejado pelo *budo* envolve um referencial de tempo mais longo. Coloca em jogo uma variedade de faculdades humanas que permanecem dormentes no estado ordinário, mas podem ser desenvolvidas ao longo do tempo. Como resultado, a fim de se atingir um nível elevado em *budo*, temos que percorrer uma longa estrada, e a forma de combate que atingimos é diferente do combate de nossa juventude. Se alguém tem 60 ou 70 anos, de fato não pode lutar como quando tinha 20 anos.

Essa diferença corresponde a uma melhora na maestria da técnica e de si mesmo. O estágio almejado é aquele em que a mente é refletida na técnica do modo mais agudo. Nesse ponto, nos tornamos receptivos a algo nas profundezas de nossa consciência, que antes estava mascarado pela impetuosidade da ação. Isto é, assim que pensamos em desferir um golpe e ferir um oponente, o superego sussurra que isso não está certo. Esse sussurro, ainda que seja pequeno, é grande o suficiente para pôr freio à espontaneidade desse ato, e existe distanciamento suficiente para que sintamos isso. Acredito que esse é o significado do dito: "Se a mente é justa, a espada é justa; se a mente não é justa, a espada não é justa". Essa máxima é muitas vezes interpretada em termos morais, mas é técnica na origem. A arte de combate é uma arte pragmática. Diria que a moralidade deriva aqui de um pragmatismo levado ao limite. Essa é a qualidade particular do *budo*. Não tem nada a ver com associar valores morais com a prática de armas.

O combate é uma atividade ascética e introspectiva que é capaz de causar confusão.

O treinamento repetitivo incessante e apaixonado pode ser adequado desde que seja parte da lógica de uma arte marcial que tem um significado maior. Cabe numa estrutura psicológica que foi construída ao longo do tempo em uma tradição; ninguém está treinando cegamente ou ao acaso. Se uma pessoa estivesse treinando somente para capacitar-se a lutar, se nunca pensou em nada além disso e o objetivo de lutar fosse simplesmente destruir outras pessoas, esta seria uma situação anormal. Mas a lógica do treinamento tem um sentido e se a pessoa não o vê, o treinamento exaustivo referido acima pode ser qualificado de anormal ou obsessivo.

Quando alguém se engaja em combate, mergulha nos problemas do ego, mas não em qualquer modo antigo. Por exemplo, aqueles que se dedicam apaixonadamente a vencer são conduzidos por uma vontade de dominar os outros para afirmar-se. Se essa vontade os leva a entrar na lógica do *budo*, eles descobrirão, paradoxalmente, que esse desejo de dominar somente poderá ser satisfeito se permitir-se desaparecer. Ao encontrar diversas vezes, no processo de prática, a contradição entre esse desejo por realização, por parte do ego, e a aniquilação desse desejo, que é necessária para realmente atingir o objetivo, eles serão levados a um profundo reexame de si mesmos.

No *kendo*, o praticante entra nessa lógica mais rapidamente, porque essa tradição e o modo como é praticada coloca em questão a supremacia da força física e a energia exuberante da juventude. Jovens praticantes, mesmo se forem muito talentosos em combate, ganharão essa experiência pelo fato de atravessarem um grande número de combates com praticantes de diferentes níveis. Mas em outras artes marciais, como o *karate*, os praticantes perdem sua força juvenil e muitas vezes desistem da prática de artes marciais bem antes de atingir o estágio descrito acima. Os métodos de treinamento usualmente praticados no *karate* são baseados principalmente na primeira força animada e resistente da juventude. Nas formas de combate que não usam equipamentos protetores e envolvem a aplicação direta de golpes, a força vigorosa e a habilidade para recuperar-se asseguram uma certa supremacia sobre combatentes mais velhos. Essa situação permite desenvolver a impressão de que a prática modelo ideal da arte é aquela na qual predominam técnicas dinâmicas e espetaculares, baseadas na força e na rapidez de movimento. Além disso, no conjunto, não existem praticantes mais velhos ou professores que sejam verdadeiramente capazes de dominar no combate livre. Isso reforça a mesma imagem e falha em abrir perspectivas que favoreçam uma visão superior das técnicas de combate.

Mais tarde, ali pelos 35 ou 40 anos, começamos a experimentar a redução na qualidade de nossa condição física. No *kendo*, esse é o momento em que os praticantes entram na fase mais significativa e intensa da prática, porque se tornam sensíveis ao problema do *ki* de um modo real e começam a ajustar sua abordagem do combate, de maneira a moldá-lo como *budo*. Nessa mesma época, a maioria dos praticantes de *karate* revela pouca inclinação a perseverar, porque aqueles que praticaram combate seriamente acumularam diversos traumas e porque o modelo que aprenderam lhes dá muito pouco espaço para adaptar-se ao avanço da idade. Portanto, eles param ou reduzem seu nível de treino, contentando-se em sua maior parte com a prática de *kata*, na qual o combate permanece virtual. Contudo, o combate no *budo* nunca é virtual.

Quando se está tentando agir espontaneamente e com precisão, é necessário libertar a mente das amarras da consciência; é daí que vem o ensinamento relativo a uma mente vazia. Nesse nível, o esforço para aumentar a eficiência termina num tipo de paradoxo; porque se se quer derrotar o oponente (o que no sentido técnico significa matá-lo) do modo mais seguro possível, é necessário não querer derrotá-lo (matá-lo). É preciso desapegar-se do vencer quando se quer vencer. Isso nos conduz à máxima: "A pessoa deve preparar-se para morrer, se quiser sobreviver".

Nesse sentido, a atividade de combate conduz a um processo de introspecção e de questionamento fundamental que leva a pessoa em direção a uma reorganização da personalidade, uma reorganização que objetiva torná-la mais penetrante em seu julgamento, capaz de não permitir-se ser perturbada, capaz de agir espontaneamente e com precisão e de recorrer às suas maiores habilidades. O processo dessa reorganização é o treinamento que contém o esforço para o desenvolvimento pessoal que constitui o *budo*.

Poderíamos dizer que *budo* é o produto de um paradoxo criado pelo pragmatismo das artes marciais japonesas levado ao seu limite. Isso porque, a partir do momento em que os praticantes tornam-se conscientes do que está acontecendo em suas mentes, seu objetivo, como expliquei, começa a mudar em direção ao estudo da natureza do combate. O foco de suas preocupações anteriormente era: quantos inimigos você matou? Agora torna-se: como você derrotou seu adversário sem matá-lo?

A espada, que originalmente se destinava a matar o inimigo (*setsunin ken*), estágio após estágio, à medida que a ideia de *seme* nasce e então estabiliza, transforma-se na "espada que torna o homem livre" (*katsunin ken*). A espada torna o homem livre ao fortalecer a consciência do peso de seu ser. A ideia do *budo* moderno é o desenvolvimento desse pensamento.

Por meio desse tipo de visão geral da evolução da consciência de um praticante, somos capazes de entender que é no momento em que os praticantes se tornam conscientes da importância daquilo que é geralmente invisível que começa sua educação subjetiva. Esse "algo" é a chave para o *budo*. É o *ki*. Em outras palavras, enquanto as pessoas permanecem inconscientes da sensação de *ki* na prática das artes marciais e não chegam a reformular sua prática através de um reexame fundamental de seu ser, não serão capazes de trilhar apropriadamente o caminho do desenvolvimento pessoal, uma vez que estarão viajando por uma senda escura sem iluminação.

10

Ma, a concretização espacial de ki

"A essência do combate é *ma*" é um famoso ditado dos ensinamentos de Ito Ittosai (desenvolvido nos séculos XVI e XVII), o fundador da Itto Ryu (a escola Itto). Ele também disse:

"Se pensamos demais sobre o *ma*, seremos incapazes de reagir adequadamente à mudança. Se não pensamos sobre ele, o *ma* será correto, mesmo numa situação de movimento. Por isso é necessário não prender a mente ao *ma*; não devemos criar o *ma* na mente. Ele deve ser como o reflexo da lua na água. Se nossa mente é tão clara quanto um céu sem nuvens, seremos como a água refletindo a lua, qualquer que seja a situação".

Todos os mestres, como Ittosai, enfatizam a importância do *ma*. Esse termo é geralmente traduzido como "distância, separação, intervalo, vão no espaço", mas também significa "intervalo temporal, fluxo psicológico".

Está fortemente ligado à noção de cadência, porque *ma* também significa "intervalo entre cadências". Na arquitetura japonesa, *ma* tem significado duplo. Como unidade de medida, refere-se ao intervalo regular que separa colunas de sustentação. Num sentido mais amplo, qualifica cada cômodo em termos da acomodação que este provê para diversos usos (*kyakuma*, área para convidados; *ima*, área de convivência diária para a família).

O que é o *ma*?

O *ma* é um espaço em que seres humanos projetam seu *ki* e desse modo circunscreve o efeito que o espaço tem sobre várias interações que ocorrem dentro dele. A projeção do *ki* se torna estável através de sua harmonização com outros elementos. Desse modo, na arquitetura tradicional o espaço de convivência é preparado de tal maneira que as pessoas se sintam confortáveis entre si e com o ambiente. Isso é feito pela procura do equilíbrio entre o espaço planejado, os elementos de construção e a natureza circundante.

Por exemplo, no *ma* da cerimônia do chá, as pessoas que preparam e bebem o chá trabalham juntas no sentido de desenvolver a harmonia com todos os objetos que as cercam, no espaço destinado a esse propósito. Quando uma cerimônia do chá é realizada em ambiente natural, certos elementos provisórios são algumas vezes colocados no lugar – pedaços de tecido ou uma corda. Isso não ocorre porque as pessoas sentem a necessidade de providenciar uma moldura para os gestos e ações nas quais investem seu *ki*? Se se permite que o *ki* se difunda no ambiente natural não delimitado, a cerimônia do chá falha em alcançar sua fruição plena, porque a atividade das pessoas que a estão realizando é uma cristalização do *ki* dentro de uma forma precisa.

Nesse sentido, o ato de realizar uma cerimônia do chá é fundamentalmente diferente daquela de tomar chá em um piquenique num espaço aberto da natureza. A natureza da sensação de prazer experimentada é também diferente. Quando tomamos chá num piquenique, sentimos o prazer da liberdade juntamente com o sentimento de não ter limites físicos ou visuais. Como resultado, seu *ki* flutua como um pássaro voando livre. Quando tomamos chá numa cerimônia do chá, sentimos profunda calma e tranquilidade, não porque estamos no silêncio da natureza mas porque nosso *ki* estruturou-se através da forma de tranquilidade gestual e espacial executada num espaço preconcebido.

Se tivemos a experiência de treinar uma arte marcial no imenso espaço de um ginásio moderno e também num *dojo* de dimensões clássicas, não sentimos vividamente a diferença na ambientação espacial? Realizamos os mesmos movimentos técnicos, mas a sensação não é a mesma. Por quê? Ao longo do tempo, a arquitetura do *dojo* clássico adquiriu as dimensões que combinam apropriadamente com o *ki* das pessoas que nele praticam sua disciplina.

Assim, por trás do fenômeno do *ma* encontra-se a maneira particular pela qual seres humanos estão se expressando, afirmando-se ou se testando, manifestando sua existência física através de uma sensibilidade que vai além dela.

Quando Ittosai diz: "Se pensamos muito sobre o *ma*, seremos incapazes de reagir apropriadamente à mudança. Se não pensamos sobre ele, o *ma* estará certo, mesmo numa situação de movimento", sua ideia de *ma* vai além de um entendimento especulativo, conceitual. Para ele, o *ma* é uma extensão do corpo. Quando a pessoa expande sua sensação corporal no espaço que a cerca, sentirá a intenção e a ação de seu oponente "como a água reflete a lua".

A sensibilidade que percebe *ki* é obscurecida pelo esforço especulativo. É nesse sentido que a prática de *ki* se aproxima da meditação Zen, que busca a realização do não pensamento. É um fato que o desenvolvimento da sensação de *ki* depende fortemente da atitude mental da pessoa. Se a pessoa vê o braço, a mão ou os dedos, seu corpo toma forma em termos do nome apropriado dado a cada parte do corpo. Desse modo, ela concebe seu corpo racionalmente, o que é muito diferente de senti-lo "como se" estivesse tocando uma montanha distante. A sensação da expansão do corpo está além da racionalidade verbal. Assim, a natureza da atividade mental é diferente na atividade da especulação verbal e no exercício de desenvolvimento de *ki*. Em outras palavras, no exercício de *ki* devemos ir além da limitação semântica da linguagem. O uso de imagens é mais efetivo que o uso de palavras.

Por essas razões, podemos pensar em *ma* como uma concretização espacial de *ki*.

11

Detectar e esconder

A ntes das trocas de técnicas de combate, existe o combate de *ki*, invisível para os olhos de terceiros. Praticantes de *kendo* de alto nível apreciam esse combate invisível, o combate do estágio que precede as confrontações gestuais. Na verdade, o combate mais importante acontece quando os combatentes estão se encarando e apontando suas armas. O *ki* de um combatente interage com o *ki* do outro e isso se manifesta em movimentos leves de seus corpos e suas armas. Espectadores não iniciados ficam irritados com essa aparente falta de movimento, que demora demais, enquanto os adeptos presentes apreciam profundamente a troca virtual de ataque e defesa, o combate de *ki*.

Os espectadores novatos começam a apreciar as coisas quando os dois combatentes executam movimentos de ataque e defesa. Mas a troca de técnicas por praticantes de alto nível é geralmente breve, pois é resultado de um longo combate de *ki*. Ao contrário, as trocas de técnicas por jovens estudantes de nível médio ou baixo, que não são ainda muito capazes de executar o combate de *ki*, são mais turbulentas, variadas e dinâmicas. Isso proporciona mais diversão para os espectadores.

Assim, combates de *budo* de qualidade superior raramente fazem um bom espetáculo para o público em geral, que só consegue ter consciência de movimentos explícitos. Mas é a apreciação do público que conta para os organizadores de espetáculos de artes marciais. Essa é uma das principais razões pelas quais as artes marciais de alta qualidade são difíceis de apresentar ao público. Consequentemente, a opinião pública é formada por pessoas que apreciam apresentações de artes marciais sem ter nenhuma noção de um nível superior de prática. As atividades de uma federação de esporte, que se baseia no nível comum de prática, respondem diretamente a esse tipo de opinião pública e, incitada por sua crescente necessidade de afiliados, a própria organização acaba promovendo a transformação das artes marciais em material para espetáculos. Sendo esse o caso, parece ser impossível buscar alta qualidade nas artes marciais no contexto de tais federações. A busca de qualidade nas artes marciais é fundamentalmente uma questão pessoal.

O combate de *budo* é acima de tudo o combate de *ki*. *Ki* emana dos dois combatentes e ambos o dirigem contra seu adversário. O mais fraco será sobrepujado e derrotado. Mas o combate de *ki* se desenrola de um modo complexo. Quando um oponente tenta nos empurrar com o *ki*, é possível enfrentá-lo diretamente e projetar o *ki* contra ele ou podemos esconder o *ki* de modo a esconder nossa intenção. Nessa situação, se o oponente não consegue perturbar nosso *ki*, temos a oportunidade de fazer um contra-ataque. Isso porque teremos visto claramente o momento em que ele liberou seu ataque, uma vez que a intenção dele repercutiu em nós porque permanecemos alertas e preparados. Se o oponente é experiente, ele também esconderá seu *ki* para ver como reagimos; então ele irá projetar seu *ki* sobre nós, depois projetar um pouco mais, enquanto avalia as respostas... Vamos fazer a mesma coisa e o combate de *ki* continuará desse modo.

Se lançamos um ataque com uma forte liberação de *ki*, o oponente pode senti-la e ser capaz de antecipar e sobrepujar esse ataque; nesse caso corremos o risco de perder. Por isso é importante aprender a emitir o *ki* para repelir um oponente e, ao mesmo tempo, aprender a ser capaz de escondê-lo. Golpear sem emitir *ki* é chamado "o golpe do não pensamento" ou "o golpe da intenção escondida".

Há uma expressão japonesa, "esconder o *kekai*", que significa "reter a emanação de *ki*" ou "esconder seu *ki*". Esse era um dos pontos básicos na educação dos guerreiros japoneses, que às vezes tinham que ser muito discretos na frente de seus senhores, como se não estivessem presentes. Essa técnica foi desenvolvida e aplicada no campo da espionagem.

De nosso corpo vivo, emana o *ki* que desenvolvemos mais ou menos através de exercícios. Detectamos o *ki* de outra pessoa por meio de nosso próprio *ki*. *Ki* é como uma emissão de radar. O combate de *ki* é muitas vezes similar àquele entre um submarino e um barco torpedeiro. O barco perseguidor procura pelo submarino com ondas de sonar. O submarino se esconde, cobre todos os sinais de vida, o caçador o detecta... Em combate, usamos formas de *ki* pelas quais empurramos o oponente para trás, detectamos sua intenção, nos escondemos.

A mente guia o *ki*, mas essa não é uma atividade especulativa. Algumas vezes, há uma sombra de especulação durante o combate, mas se a pessoa aumenta essa sombra, corre o risco de se atrasar em seu momento, porque especulação é uma amarra sobre o movimento espontâneo. O movimento espontaneamente correto é guiado pelo *ki*. E o *ki* é guiado por uma mente que está unida com uma sensação física total e difusa. É dessa maneira que, se o combate de *budo* é o combate de *ki*, ele é também um combate da mente. Esse é o contexto em que brilha este ensinamento: "Se a mente está correta, a espada está correta".

12

O combate de ki

D esse modo, abrindo nossa percepção ao combate de *ki*, seremos capazes de penetrar no reino do combate mental e, através disso, de desenvolver um entendimento do combate de *budo*.

A partir do momento que tentamos elevar a qualidade de nosso combate pela ativação do *ki*, nossa percepção de combate dá um grande passo adiante.

As questões mais diretas sobre combate são: "Em que situação sua técnica de ataque é bem-sucedida? Em que situação ela falha? Em que situação você ganha? Em que situação você perde?" Podemos tentar entender e responder a essas questões analisando situações em termos de movimentos. Porém nunca seremos capazes de obter uma resposta satisfatória somente através da análise dos movimentos físicos, apesar de que uma análise desse tipo permaneça indispensável para melhorar a qualidade da técnica no nível gestual. Mas esses movimentos são intermináveis em número e não é possível chegar ao cerne dos problemas com base em elementos tão variáveis como esses. É necessário tocar diretamente no que dá origem às diversas situações gestuais. O combate assume sua estrutura acompanhando o *ki*, conscientemente ou não. A estratégia pode ser guiada por certo cálculo, mas é por ser guiado pelo *ki* no momento do combate, que é algo que acontece no escuro, que modulamos as formas de movimento. Portanto, é necessário perceber as situações variáveis de combate através do princípio do *ki*.

Por exemplo, como vimos antes, se uma finta é bem-sucedida, é porque o *ki* do oponente foi movido. Se a pessoa não consegue causar um movimento no *ki* de seu oponente, nenhuma finta vai funcionar. Por essa razão, não é frutífero examinar as formas gestuais das fintas e aumentar o número dos pontos de referência: isso só serve para complicar as situações dando a impressão de analisar os problemas objetivamente. Esses processos são armadilhas para a visão de método nas artes marciais. Apesar disso, achamos um grande número de exemplos desse tipo de abordagem em trabalhos sobre o assunto, que chamam a si mesmos de "científicos".

Tudo o que se precisa é entender um princípio simples: um ataque será bem-sucedido se o implementamos após haver perturbado o *ki* do oponente; sofreremos o ataque dele se o nosso *ki* for perturbado por ele. Nisso está a essência do problema. Com isso como base, podemos examinar o processo de um treinamento: como desequilibrar o *ki* de um oponente e como não ter o próprio *ki* desequilibrado por ele? Isso se tornará o foco central de um treinamento.

Aqui está um exemplo tomado de meu trabalho *Miyamoto Musashi*:

Shirai Toru (1783-1850) é considerado um dos maiores especialistas dos dois últimos séculos. Katsu Kaishu (1823-1899), famoso estadista do período Meiji, perito praticante do caminho da espada e do Zen, descreve assim a impressão que teve de Shirai Toru quando treinava com ele:

"O caminho da espada e o do Zen são idênticos e qualquer diferença reside apenas nas palavras e formas. Quando me dediquei ao caminho da espada, tive a oportunidade de tomar lições de um especialista chamado Shirai Toru. Aprendi muito ele. Sua arte da espada tinha um tipo de poder sobrenatural. Quando ele pegava a espada, emanava dele uma atmosfera ao mesmo tempo austera e pura, então uma potência insuperável surgia da ponta de sua espada, o que era sobrenatural. Eu era incapaz mesmo de ficar de pé e encará-lo. Queria atingir seu nível e enfrentei um treinamento sério, mas, para meu pesar, eu estava muito longe disso. Um dia perguntei-lhe por que eu sentia esse medo diante de sua espada. Ele então respondeu com um sorriso:

"'É porque você fez algum progresso na espada. Aquele que não tem nada, nada sentirá. Veja quão profunda a espada é'."

"Essas palavras aumentaram ainda mais meu terror perante a vastidão do caminho da espada."

De fato, a energia que emanava de Shirai Toru em combate era tal que os especialistas do período costumavam dizer "a espada de Shirai emite uma esfera de luminosidade". Para Katsu Kaishu, a estranha energia emitida pela espada de Shirai era o equivalente à energia que a pessoa pode obter através do Zen.

As últimas palavras de Shirai Toru citadas acima nos ajudam a entender por que um iniciante que não tem nenhuma experiência de combate pode às vezes agir de uma maneira corajosa e efetiva. Como diz o provérbio: "O cego não tem medo da serpente". Pessoas que não reconhecem o perigo de uma situação podem às vezes mostrar coragem surpreendente. Elas se espantam em retrospecto quando se dão conta do que fizeram. No longo curso do caminho da prática da atividade de combate, haverá muitas correções, muitas lições aprendidas.

Aqui está um exemplo muito comum, que encontramos com frequência.

A finta de um ataque não terá efeito algum sobre uma pessoa que nunca recebeu um golpe. Tal pessoa está apta a comportar-se lucidamente porque a finta não lhe traz nenhuma memória de dor nem provoca medo algum. Como resultado, é capaz de agir como se a finta nunca houvesse ocorrido e isso lhe permitirá agir exatamente do modo errado (do ponto de vista do oponente) à tática do oponente. Ela estará em posição de desferir um golpe efetivo. Ela pode mesmo chegar a pensar que é mais forte que seu oponente e superior em habilidade.

No curso da prática, a pessoa irá acumular experiências de receber golpes, algumas vezes violentos. Uma vez que tenha essa experiência, quando enfrentar um adversário reagirá com sensibilidade aos movimentos de finta. As fintas evocarão a dor dos golpes e desse modo provocarão medo. Será derrotada por uma pessoa a quem considerava não tão forte quanto ela mesma. Desse modo, quando entra na nova fase de seu desenvolvimento, poderá pensar que está na verdade regredindo. Alguns praticantes desistem da prática nesse ponto e outros continuam. O progresso no *budo* está longe de ser linear.

A situação é similar quando se trata do combate de *ki*. Se sua sensibilidade ao *ki* não foi construída, seremos incapazes de perceber um *ki* ofensivo. Como resultado, poderemos às vezes agir de forma mais corajosa do que nos sentimos. Mesmo que o oponente seja um praticante muito qualificado, não teremos a impressão de que está perdendo até que receba um golpe. Quando nossa percepção se desenvolveu suficientemente, sentiremos a pressão do *ki*. Essa é a maneira pela qual Katsu Kaishu era sobrepujado e seu mestre caracterizava a situação muito bem: "É porque você fez algum progresso".

13

O significado e o valor do combate

Um aumento na efetividade de combate é o único resultado de ser capaz de executar o combate de *ki*? É certamente verdade que desenvolver a sutileza e a precisão de nosso *ki* nos capacita a lutar melhor, mas o fato de sermos capazes de lutar melhor tem algum significado fora do combate em si? Se isso nos leva somente a ser capazes de eliminar mais eficientemente um oponente, isso não tem muito mais importância do que qualquer outro elemento de habilidade. E, nesse caso, o combate de *ki* não chega a ser mais do que uma forma sutil de combate e um conhecimento físico.

Vou retomar e desenvolver uma ideia que discuti antes sob um ângulo diferente.

Seme é o ato de perturbar o *ki* de um oponente. Se temos sucesso em perturbar o *ki* de um oponente, isto é, se temos sucesso em *seme*, o ataque será bem-sucedido. Quando o ataque tem sucesso sem que tenhamos desenvolvido *seme*, isso é só uma questão de sorte. *Seme* é a ação pela qual obtemos uma vitória certa.

Tentamos perturbar o *ki* de um oponente e ao mesmo tempo mantemos o próprio *ki* totalmente harmonizado. Se o nosso *ki* está perturbado, sentiremos algo desagradável, às vezes um atraso na sincronização do ritmo, outras vezes uma perturbação na respiração. Se, além dessa sensação desagradável de perturbação do *ki*, somos atingidos, a única coisa a fazer é admitir a derrota e nos inclinar em saudação ao oponente. Essa experiência permitirá que fortaleçamos o *ki* mais tarde, porque ao examinar o momento em que recebemos o golpe e o modo pelo qual o recebemos – o que significa uma autocrítica – podemos aprender a sanar essa inadequação. Se temos sucesso em nossa *seme* e atacamos, isso também irá fortalecer nosso *ki* pela estabilização de um senso de relação entre a sensação de *ki* e a ação.

Desse modo, o combate de *ki* permite que os dois oponentes fortaleçam mutuamente seu *ki*. Essa é a parte oculta da busca pela efetividade em combate. Com esse mútuo fortalecimento do *ki*, a prática assume um sentido duplo. O primeiro aspecto é claro: fortalecimento do corpo, desenvolvendo a capacidade de efetuar o combate num nível sutil. Qual é o segundo?

O fortalecimento do *ki* está ligado a um aumento na vitalidade. Esse aspecto coincide com a metodologia do *kiko*, a prática de trabalhar a respiração ou trabalhar a energia. Mas há algo mais aqui que toca no aspecto moral de nossa existência.

Perturbação no *ki* é geralmente sentida como uma sensação desagradável. Assim podemos impedi-la de acontecer evitando certas sensações desagradáveis, como medo, ansiedade, hesitação, dúvida e também raiva, ódio, aversão – em resumo, as fontes de stress que, em outras palavras, aumentam o *ki* negativo. Ao contrário, relaxamento, calma ligada a uma mente pacífica, e sorriso aumentam o *ki*, isto é, aumentam o *ki* positivo.

Qualquer tipo de pensamento ou ideia que possa tornar-se objeto de um conflito moral interior é capaz de produzir uma perturbação no *ki*. Sabemos que em muitos casos, mesmo quando não estamos inteiramente conscientes disso, o corpo representa ou produz uma variedade de sintomas com base em percepções subconscientes. O *ki* se manifesta imediatamente, assim que o corpo reage, mesmo antes que produza sintomas visíveis.

O corpo tem um sistema de resistência contra qualquer coisa que seja danosa a ele e, antes que produza claros sinais externos dos problemas, o *ki* é perturbado de um modo que pode ser detectado por uma pessoa que tenha desenvolvido uma percepção altamente sensibilizada de *ki*. A medicina chinesa é baseada nessa correlação entre o *ki* e as aflições físicas; ela tenta provocar a cura por meio da restauração do equilíbrio do *ki*. A consciência do *ki* na arte de combate não necessariamente vai muito longe, mas a ligação com essa abordagem do *ki* é muito fácil de ver.

Os praticantes de *kendo* de estágios iniciais, como é o caso das outras disciplinas de combate, obtêm efetividade por meio da agressividade, deixando-se levar pela energia das emoções. Mas no alto nível do combate de *kendo*, o menor movimento da mente, especialmente se está baseado numa emoção razoavelmente forte como ódio, medo ou dúvida, corre o risco de produzir uma perturbação do *ki*. A consequência será uma diminuição da efetividade. Para os praticantes de *kendo*, o desenvolvimento da percepção nesse nível vem por volta do sexto ou sétimo *dan*. Os praticantes então entendem que não podem lutar bem se permitirem que sejam conduzidos pela violência ou agressão, que sua intensa energia deve ser guiada por uma mente calma. A partir desse nível o *ki* guia os praticantes, que entram num domínio em que sua prática irá tornar-se progressivamente una com o caminho. É isso que constitui a qualidade verdadeiramente especial da disciplina do *kendo*.

Nas outras disciplinas de combate essa possibilidade é grandemente reduzida e o combate acontece na dimensão da violência, em que a pessoa mais agressiva tem maior chance de obter a vitória.

Desse modo, o *yi chuan*, boxe baseado em *yi* (pensamento ou intenção), treina seus praticantes para um estado de insanidade artificial ou técnica de modo a ativar até o último grau possível suas potencialidades para o combate. No exercício de *zhan zhuang* (meditação numa postura fixa), a pessoa se treina a desenvolver um estado mental que tem influência sobre seu corpo. Num ponto desse exercício ela imagina que está cercada por animais ferozes, por exemplo, um tigre abrindo as mandíbulas ou uma serpente de olhar venenoso, ou se vê sendo ameaçada por seus inimigos mortais. Imagina uma situação na qual está sendo atacada por esses seres que mais odeia e teme, e ela os esmaga. O resultado é que a pessoa secreta uma abundância de adrenalina e seu corpo é estimulado ao estado mais combativo. Repetindo esse exercício todo dia durante anos, pode-se formar e fortalecer um sistema nervoso que é adaptado para o combate. No sistema do *yi chuan* há diversas instruções para o relaxamento, de modo a que se possa acalmar-se para estabelecer um estado de equilíbrio. Contudo, para o combate, não há alternativa – a efetividade desse método é puramente baseada nessa força explosiva, que é construída sobre um estado de insanidade técnica e artificial, sobre o poder humano que é o mais próximo daquele de um animal.

Yo Yongnien, um dos estudantes de Wang Xiangzhai, o fundador do *yi chuan*, contou-me o seguinte: "Quando o Mestre Wang emitia sua força explosiva, sua face se transformava completamente. Nunca vi uma face humana tão terrível em minha vida. Isso é difícil de imaginar quando vemos seu rosto pacífico nas fotos, você não acha?".

Não há dúvida de que, entre os métodos desenvolvidos na tradição das artes marciais, o método do *yi chuan* é um dos mais efetivos para desenvolver as capacidades de combate.

Ser sensível ao *ki* significa perceber o estado mental da pessoa por meio de uma sensação física. Encontramos nisso uma espécie de moralidade que não é de tipo religioso, mas que é inerente ao nosso corpo e flui diretamente dele. A efetividade em combate é, por natureza, agressiva e destrutiva; numa sociedade em que os confrontos raramente são físicos, isso tem que ser legitimado. Para criar o equivalente a uma bainha para o gume cortante da espada, é necessária uma moralidade que flua espontaneamente da técnica e do corpo. É onde o *ki* se torna importante. De certo modo, o objetivo do *budo* é encontrar um caminho para desenvolver um corpo moral e isso é o que o distingue das muitas disciplinas de combate. Isso é o que lhe permite oferecer-nos a possibilidade de encontrar uma dimensão superior na prática de uma disciplina física.

14

Os métodos clássicos de desenvolvimento do ki em combate

Evidentemente o combate de *budo* não é uma abstração. Ele procura achar um meio de ser efetivo. Penetrar numa dimensão mais profunda de combate através do *ki* torna possível, por um lado, aumentar a efetividade do combate e, por outro, estender a prática a longo prazo, de fato durante a vida inteira da pessoa. No *kendo*, não é raro encontrar mestres que praticam até a época de sua morte, enquanto continuam a ter habilidades extraordinárias à sua disposição. Nas artes marciais de mãos nuas, por exemplo no *karate*, é muito raro encontrar um mestre que pratique o combate depois dos 60 anos de idade. Contudo, numa disciplina como o *taiki ken*, em que o uso do *ki* é central, o já falecido Kenichi Sawai continuou a praticar o combate a mãos nuas muito efetivamente, chegando a possuir habilidades de ordem muito alta, até pouco antes de sua morte na idade de quase 80 anos.

Como o vejo, o trabalho com o *ki* está presente explícita ou implicitamente nas disciplinas de *budo* nas quais os praticantes são capazes de percorrer um longo caminho, continuando a melhorar suas habilidades durante todo o percurso. No *kendo*, o trabalho com o *ki* entra em jogo após um certo nível, e no *taiki ken* existe desde o início. Em certas escolas de *jujutsu* e de *kenjutsu*, o trabalho com o *ki* não é enfatizado, mas está presente implicitamente.

Obtendo *ki* pelo método de *kata*

O primeiro método é baseado no treino de técnica e de sua aplicação por meio de repetição. Este é o método geralmente mais usado.

Por exemplo, ao aprender *kendo*, começamos com a empunhadura correta do *shinai*; no *karate*, começamos aprendendo as formas precisas para socos e chutes. No combate, não podemos obter um *ippon* (nocaute) se não golpearmos corretamente. Treinamo-nos para desenvolver a capacidade de efetuar um nível superior de combate com técnica magnífica. Apenas marcar pontos, golpeando de qualquer jeito, está fora de questão.

Se analisamos atualmente as técnicas recomendadas de *kendo*, é possível selecionar e padronizar um certo número de técnicas modelo nas quais o praticante precisa estar completamente treinado. Esses movimentos modelo representam um tipo de técnica ideal a ser assimilada pelo praticante. Embora não sejam referidas pelo termo "*kata*", elas representam de fato a estrutura e características do *kata*. Podemos chegar à conclusão de que existem *katas* implícitos no combate de *kendo*. No treinamento básico de *kendo*, *jigeiko*, os praticantes trabalham usando esses modelos como critérios para as maneiras certas e erradas de executar os movimentos no combate. Isso também é verdadeiro para os praticantes de *karate*.

No *karate*, treinamos com técnicas de combate que podem ser diretamente colocadas em uso: séries de movimentos técnicos, trabalho de pés, e assim por diante. É possível quase padronizar um corpo de movimentos úteis e necessários para as formas de combate que praticamos todo dia. É quase possível formar *katas* com esses movimentos, mas isso resultará num conjunto de *katas* que é diferente daqueles designados como tradicionais. A mesma coisa pode ser dita para o *judo*.

Em todo caso, não treinamos para combate de qualquer forma. Treinamos seguindo um modelo que se aproxima de um certo nível de perfeição. Se realizamos mil exercícios de golpear com o *shinai* (*suburi*), isso significa repetir o movimento mil vezes, tentando nos aproximar cada vez mais do golpe perfeito. Quando nos exercitamos desse modo, repetindo uma técnica de acordo com um modelo idealizado, esse é um método de *kata*, no sentido amplo do termo. A razão pela qual as pessoas não chamam isso realmente de método de *kata* é que essa qualificação de *kata* é usualmente atribuída a movimentos estabelecidos pela tradição. Mas se analisarmos a dinâmica inerente ao desenvolvimento do *kata*, resulta que na época em que cada *kata* foi formado e estabelecido, ele estava sendo praticado do mesmo modo como hoje praticamos movimentos que são úteis, necessários e mesmo indispensáveis para o desenvolvimento da capacidade técnica de combate. Nunca houve nenhuma relação com um tipo de cerimonialismo gestual, e a distância que existe agora entre o *kata* tradicional e a prática real de combate se justifica.

Jigeiko é um processo de assimilação dos elementos necessários para efetuar o combate mais perfeito. Mas não basta executar um movimento perfeito; é necessário executá-lo numa situação de combate, face a face com um oponente. Ninguém se sai bem no combate apenas por sorte. Quando atingimos o ponto de desempenhar satisfatoriamente, é porque fomos capazes de sentir uma espécie de plenitude ao marcar um *ippon*. Nessa situação, antes de desferir um golpe criamos uma instância de vulnerabilidade no oponente, porque fomos bem-sucedidos em perturbar sua guarda e sua mente. O ataque foi baseado precisamente nesse vazio no oponente no momento em que nos enchíamos de energia. Esse resultado é produzido pela postura correta do corpo quando movemos a espada na trajetória correta. O mesmo se verifica no combate de *karate*, apenas substituindo o golpe de espada pelo soco ou chute.

É nessa situação que podemos sentir plenitude. Nesse caso, é porque mesmo sem estar conscientes disso fomos guiados pela sensação de um certo algo e agimos colocando a confiança nessa sensação. No momento de desferir o golpe, tivemos a sensação de nos tornar unos com esse certo algo. Essa é a sensação de *ki*. A sensação de *ki* está presente na sensação de execução perfeita da técnica no curso do combate.

Ao exercitar-se com *kata*, essa sensação é modulada para se relacionar com uma forma técnica. Quando se estuda os *katas* clássicos, descobre-se que eles contêm os elementos necessários para se obter um nível superior de combate. Muitos *katas* foram distorcidos no processo de transmissão, mas no momento em que um *kata* é formado, ele exibe um estado idealizado de uma técnica que é efetiva como meio de treinamento de combate. O estado idealizado da técnica corresponde ao mais alto nível da técnica, aquele nível em que a técnica física e o estado da mente se tornam um. O *ki* deve circular naturalmente nesse estado. Podemos dizer que treinar uma técnica dessa maneira corresponde ao princípio da energia. Se um movimento técnico é perfeito, é porque está em harmonia com a efetividade que ajusta o *ki* a uma forma técnica. A forma perfeita de uma técnica que não é efetiva não tem sentido, assim como não pode existir uma espada perfeita que não corte.

Vimos que o termo "*ki*" se refere a uma gama de sensações vasta e bastante vaga. No *budo*, utilizamos *ki* modulando-o para se ajustar a uma forma técnica. Quando dizemos sobre um mestre: "Quaisquer que sejam os movimentos que ele faz, eles constituem técnica perfeita", isso é precisamente porque ele é capaz de seguir seu *ki*, não literalmente mas de um modo que é profundamente técnico. Ele integrou sua técnica tão completamente que seus movimentos estão em conformidade com o princípio que subjaz à técnica no senso mais amplo de *kata*. Isso é o que chamamos ir além da forma aprendendo a forma, ir além do *kata* penetrando profundamente no *kata*.

O *kata* mostra um modelo de técnica de combate desenvolvido numa forma perfeita; é um convite a subir ao topo e um guia para atingi-lo. Desse modo, o *kata* é baseado num sistema no qual o conhecimento está situado num ponto alto e os praticantes estão tentando elevar-se àquele nível. A forma técnica é um meio de subir, mas não é um fim em si mesmo. O objetivo do *kata* é ir além do *kata*.

Quando os praticantes observam o que está acontecendo em suas mentes durante uma extenuante sessão de treinamento na qual estão tentando melhorar sua técnica, encontram a imagem de seu mestre, a pessoa que lhes mostrou ou ensinou a técnica. Seus movimentos estão associados com uma imagem de perfeição representada pelo mestre, especialmente quando eles estão se exercitando sozinhos. No curso do processo de treinamento, os praticantes se esforçam para desempenhar tão bem quanto os mais antigos, tão bem quanto seu mestre; mais tarde eles desejam ultrapassá-lo, derrotá-lo. Quanto mais pesada for essa imagem do mestre, mais ela os assombra. Lutar contra essa imagem é o processo de treinamento – repetição. Essa ligação psicológica é característica da aplicação da metodologia de *kata*.

Um melhor entendimento da lógica inerente do método de *kata* e de sua conexão com o *ki* nos ajuda a avançar em nossa compreensão e prática do *budo*. Para fazer isso, é indispensável saber como ver e trabalhar com *kata* de um ponto de vista diferente. O *kata* não é simplesmente uma técnica padronizada. Não é um molde, nem uma cerimônia, nem um combate imaginário. *Kata* é um método que requer muitas chaves para se abrir completamente. Vou desenvolver mais essa ideia depois.

Fortalecendo o *ki* pelo método de energia

O segundo método funciona mais ou menos de modo reverso. Desde o começo tem por objetivo fortalecer aquilo que é o veículo da efetividade – *ki*. Eu diria que este método procura reorganizar o sistema sensorial de maneira a permitir que o corpo funcione espontaneamente com um meio melhor de regular a energia. Se o primeiro método é baseado em formas técnicas desenvolvidas na esperança de obter a perfeição, o segundo está baseado diretamente no sistema sensorial inerente aos movimentos mais altamente eficientes e efetivos da técnica.

É por essa razão, de acordo com esse método, que a técnica deveria surgir espontaneamente com base na sensação de *ki*. Não está baseado no processo de aprendizado de técnicas específicas como no método de *kata*. Se há um desenvolvimento de técnica, ele virá após a pessoa ter adquirido suficiente maestria do *ki*. *Taiki ken*, que é derivado do método chinês de *yi chuan*, é um exemplo típico dessa abordagem.

Na arte da espada, um mínimo de maestria técnica, suficiente para saber como usar o gume cortante da espada, é obrigatória. Isso é verdadeiro mesmo para esse método que toma a abordagem oposta ao método de *kata* e procura treinar um praticante para combate diretamente pela aquisição dos fatores mental e energético essenciais. O método de Hirayama Gyozo (1759 – 1828) é um bom exemplo desse método, uma vez que nele o aprendizado da técnica foi reduzido a um mínimo. Seu método consistia em uma simples técnica: um exercício para dois combatentes, no qual um deles, armado com uma *shinai* longa, atacava o oponente, que vestia uma cobertura protetora sobre a cabeça e estava armado com uma *shinai* curta, de 40 centímetros. O papel deste último combatente era atacar e golpear seu oponente no peito com o objetivo de traspassá-lo e devia fazê-lo independentemente dos golpes que podia receber quando se aproximava do outro.

Hirayama Gyozo escreveu em um de seus trabalhos, *Comentários sobre a Espada* (*Kenstsu*): "O objetivo da arte da espada é matar o inimigo. A essência dela é fazer sua mente letal penetrar o peito de seu adversário".

A escola de Hirayama Gyozo era chamada de Sinkan Ryu (literalmente, a escola da penetração pela mente) ou

Shinnuki Ryu (a escola da penetração pela essência). De acordo com Hirayama Gyozo, se a mente penetra o adversário, a pessoa é vitoriosa e esse é o método mais seguro e efetivo no combate real com a espada. Vejo nisso um processo de trabalho com a energia que procura fortalecer a mente da maneira mais direta. A simplicidade desse treinamento é a repetição de um simples gesto, que é comparável ao aparentemente simples exercício de permanecer sem se mover na postura Zen, *ritsu zen*. Contudo, com a postura imóvel de *ritsu zen*, exercitamos a mente com a intenção de criar um estado mental e físico direcionado para esmagar o oponente, qualquer que seja ele. No combate com a espada, é preciso ser capaz de usar a espada corretamente – é por isso que o simples exercício de *suburi* é a base para o método de Hirayama Gyozo. Seu método consiste em executar esse gesto simples e em fortalecer o fator mais fundamental em combate. Portanto, eu o caracterizaria como um método que visa fortalecer, de uma maneira direta e simples, a essência da energia prática: o *ki* de combate.

Na tradição da espada, um método que foca na energia é, na maior parte das vezes, aplicado em conjunto com o método de *kata* ou após este ter sido completado. Tomarei o exemplo de dois mestres famosos do século XIX, Shirai Toru (1783 – c. 1845) e Yamaoko Tesshu (1836 – 1888), que adotaram essa abordagem.

Os problemas encontrados por esses dois peritos são problemas com que qualquer reflexão sobre a metodologia das artes marciais japonesas tem que lidar.

Durante a segunda metade de sua vida, Shirai Toru dominava seus oponentes por meio de um estranho poder que emanava de sua espada. Diz-se que a ponta de seu *bokken* emitia uma esfera de luminosidade. Antes de chegar a esse nível, ele encontrou um obstáculo que só foi capaz de superar depois de longos anos de treinamento e de meditação ascética. Ele condensou o processo pelo qual passou em um método – a fortificação de energia, *rentan*. Este é baseado principalmente num processo de trabalhar com a energia que corresponde em grande parte ao *kiko* marcial praticado hoje. De acordo com Shirai Toru, *rentan* é o único método concreto que há para atingir o nível superior do caminho da espada.

Yamaoka Tesshu também atingiu um nível extraordinário na arte da espada, dedicando-se à prática do Zen. Ele era pobre e, por volta dos 30 anos de idade, estava vivendo numa casa que estava em más condições. Ele havia recebido o apelido de Tetsu Vestido em Trapos, mas também outro, Tetsu o Demônio do Dojo. Muitos de seus amigos contavam que, à noite, o teto de sua casa ganhava vida com o barulho dos camundongos, mas logo que Tetsu começava a fazer *zazen*, seu *ki* enchia o espaço e os camundongos paravam de fazer barulho. Também acontecia de muitos deles caírem das vigas por onde estavam correndo. Depois de vários anos, quando Tesshu começava *zazen*, os camundongos paravam de correr e desciam para onde ele estava e brincavam ao redor dele. Obviamente, não posso atestar a autenticidade dessa história.

De qualquer modo, há muitos relatos referentes ao poder do *ki* de Tesshu. Takano Sazaburo (1862–1950), um dos maiores mestres da primeira parte do século XIX, conta-nos a seguinte história:

Durante o treino, o Mestre fazia com que seus alunos o atacassem, mas eles nunca tiveram o gosto de realmente tocá-lo. Quando eu tentava atingi-lo com um golpe pesado, sempre encontrava a ponta da *shinai* do mestre na minha garganta... A atitude do Mestre era como a de uma bola que nunca se consegue fazer cair. Ele tinha uma flexibilidade impenetrável, impenetrável porque sua flexibilidade continha o poder do aço. Dessa maneira, durante o treino, mesmo que eu o golpeasse diretamente no centro de sua cabeça (*men*), eu nunca conseguia sentir que o havia tocado. Todo mundo era dominado por seu *ki*.

... Mesmo quando a ponta de sua *shinai* chegava a não menos que 30 centímetros de mim, se ele fizesse um pequeno movimento com a ponta, eu sempre tinha a impressão de receber um golpe na garganta (*tsuki*). O Mestre não manejava sua espada com as mãos, mas com seu centro de energia... Aconteceu um dia de eu receber um leve golpe de *tsuki* e, naquele momento, não senti nada. Mas quando eu estava voltando para casa, fui invadido por uma sensação estranha, como se minha garganta tivesse um buraco e o ar externo estivesse circulando por dentro. Essa sensação estranha durou dois dias.

Esses dois grandes mestres eram capazes de transformar radicalmente a qualidade de suas espadas, um por meio de *rentan*, o outro através de *zazen*, e podemos concluir que essas práticas os ajudaram a reorganizar a maneira de sentir e agir que eram subjacentes à sua técnica da espada. De um ponto de vista prático, aqueles que praticam com esse método não necessariamente pensam que estão engajados em qualquer reorganização. Subjetivamente, eles podem sentir um senso de melhora moral ou, dependendo de suas crenças, um senso de iluminação ou de purificação da mente e do corpo. Mas o que é muito provavelmente comum a todos é uma forte sensação de *ki*.

Se é verdade que o Zen influenciou a prática japonesa da espada, ele o fez não como uma filosofia especulativa, mas sim através da prática física do *zazen*. Considero que, pelo menos no início, o Zen atraiu guerreiros do período das guerras feudais devido a seu aspecto pragmático.

Como disse anteriormente, uma qualidade particular do *budo* é o fato de que ele leva o pragmatismo ao limite, de tal modo que começa a tornar-se uno com a moralidade e a filosofia. Analisar a filosofia do *budo* serve somente para acentuar a disparidade entre a filosofia e a prática, porque a compreensão intelectual cria a ilusão de entender algo que na realidade é construída a partir da experiência.

O método de *rentan*, como o do Zen, procura chegar à essência do *budo* sem passar pelo processo de aprendizado de técnicas específicas. Na arte da espada, que demanda o manejo apropriado da espada e os golpes de espada corretos, esse método não é aplicável antes que se tenha dominado um mínimo de técnica. Pois mesmo que tenhamos adquirido maestria de nossa energia e desenvolvido uma percepção acurada da ação de combate, os movimentos não irão se traduzir em ação efetiva se a espada não seguir as trajetórias apropriadas. Em contraste, na arte do combate a mãos nuas, em que a questão é acertar um golpe e não a de cortar com uma lâmina, podemos desferir um golpe efetivo sem o nível de precisão requerido pela espada. Na medida em que estejamos aptos a produzir um impacto suficiente, o golpe pode ser efetivo sem o mesmo rigor técnico que é requerido pela lâmina de uma espada.

15

A convergência de duas abordagens

Zen é inseparável da prática de *zazen*, meditação sentada na postura de lótus. No sentido estrito do termo, a postura de *zazen* é um *kata* com apenas uma posição. O iniciante e o grande mestre tomam a mesma postura. Vista de fora é a mesma postura, mas seu conteúdo é diferente. O conteúdo é a sensação física e o estado mental, isto é, o *ki*. Com efeito, *ki* faz a diferença entre o iniciante e o mestre.

Com relação a isso, gostaria de citar um exemplo.

Desde os tempos de sua adolescência, Harumitsa Hida (1883-1956) estava buscando um método para aumentar sua força vital. Quando chegou à formação de seu próprio método, pensou que o estado de seu corpo e mente correspondia ao que se busca no Zen. No esforço para verificar essa intuição, ele teve uma série de encontros com praticantes e mestres de Zen. Ele nos conta:

Um dia, através da intervenção de meu amigo monge Asaka, cerca de vinte monges vieram me ver. A seu pedido, dei algumas explicações sobre a relação entre a energia do centro e o Zen. Eles ficaram tocados pela minha exposição... Por meu lado, pedi-lhes: "Vocês poderiam ter a fineza de mostrar-me seu *zazen*?" Eles imediatamente aceitaram meu pedido e tomaram a postura de meditação para *zazen*. Observando-os, fiquei surpreso porque nenhum deles estava sentado com um centro real... Disse-lhes: "Com esse modo de fazer *zazen*, vocês não têm nem um peito que esteja vazio nem uma cabeça que esteja leve. Vocês não estão aptos a entrar no estado de vazio e de não pensamento, estou certo?". Fiz a cada monge a mesma pergunta. Cada um deles me respondeu honestamente, dizendo que não estava apto a fazer isso. Percebi que, para obter o estado de um centro real por meio do Zen, é necessário praticar com toda dedicação por vinte ou trinta anos.

Então eu quis descobrir como um verdadeiro mestre pratica *zazen*... Soube do nome do mestre Zen Iida por meio do meu irmão mais velho. Fui visitá-lo e lhe pedi que me instruísse sobre *zazen*... Ele tomou a postura *zazen* e me sentei de frente para ele e o observei com a intenção de penetrar até o próprio centro de sua mente. Delicadamente, a cabeça e ombros do mestre se aprumaram e subiram até o instante em que seu centro de gravidade e o centro de suporte de seu corpo se superpuseram. Exatamente nesse instante, seu corpo se tornou imóvel como uma montanha. Não havia o menor defeito em sua postura. Era verdadeiramente extraordinário! Eu estava profundamente emocionado por ver diante de mim o resultado de quarenta anos de Zen. Prestei homenagem inclinando minha cabeça e lhe disse: "Entendi muito bem. Agradeço-lhe. Eu gostaria de lhe mostrar alguns poucos exercícios do meu método, que visam o fortalecimento do corpo". O mestre foi buscar seus discípulos, dizendo: "Seria uma pena observar sozinho".

Sentei-me do meu próprio modo e, no instante em que toquei os joelhos com minhas mãos, ele disse: "Isso é similar a uma espada que pode cortar sem deixar a bainha; ela atinge o céu e sua lâmina é fria". Então assumi minha postura calmamente, preenchendo com força o centro sagrado e adotando um olhar penetrante. O mestre me observava com grande solenidade, inclinando seu corpo para a frente e muitas vezes soltando uma exclamação. Quando terminei, ele me disse: "Isto é precisamente tornar-se um com o caminho. O caminho vivo que nunca irá morrer. Não é um método para obter boa saúde, porque saúde é mortal, enquanto seu caminho é um caminho eterno. É o verdadeiro Zen em movimento, o Zen por meio de exercícios físicos... É absolutamente necessário que você transmita seu método em forma escrita. Ele é um tesouro para a humanidade".

Como nos lembra este exemplo, o Zen, que visa diretamente a essência e procura o desenvolvimento do *ki*, é uma prática – para o método do Zen, postura é absolutamente primordial. Geralmente, o método da energia para se chegar ao *ki* é visto como oposto ao método do *kata*. Contudo, assumir uma postura precisa com a sensação de um centro é uma forma de *kata* no sentido rigoroso do termo. Na realidade, trabalhar por essa postura bem-definida é um meio de chegar ao objetivo formulado pelo caminho; e na prática dessa simples postura há um certo número de estágios nos quais postura e representações mentais se condensam em um.

O método de prática de *yi quan* é baseado principalmente no exercício da meditação em pé (*ritsu zen* ou *zhang zhuang*). Esse método é geralmente classificado como oposto ao método de *kata*, compreendido este como um sistema de sequências de movimentos padronizados. Contudo, vimos que um *kata* não necessariamente tem que incluir um movimento; poderia consistir em uma postura estacionária. É por isso que posso afirmar que todos os métodos orientados para a energia, para chegar ao *ki* e fortalecê-lo, tomam a forma de prática com *kata*.

Há uma variedade de métodos religiosos para fortalecer o *ki* na tradição japonesa. Chamarei atenção para um deles, *sennichi kaiho gyu*, "a jornada dos mil dias". Esse método é estruturado em diversos estágios que levam três anos para completar. O último estágio consiste em andar por um itinerário montanhoso fixo por cem dias consecutivos, parando para orações e comendo muito pouco. Esse método extremamente ascético leva os praticantes aos limites últimos de seu ser físico. Do ponto de vista do *ki*, eu o analisaria como se segue. Por meio de uma experiência muito extrema e repetitiva, cujos efeitos se tornam estabilizados com o tempo, os praticantes chegam a um tipo de reorganização de suas percepções físicas e de seu modo de integrá-las. Um monge que passou por essa experiência disse: "Como eu comia muito pouco, minha mente e meu corpo se tornaram tão leves que se harmonizaram com o universo". Esta sentença testemunha uma transformação de sua sensibilidade perceptiva e de sua abertura para uma dimensão de consciência que corresponde ao que é chamado de *ki* em japonês, uma dimensão de percepção que é comumente mascarada pelas contingências de nossa vida social.

Nesses métodos, que procuram uma forma religiosa de iluminação, eu chamaria a atenção para o modo pelo qual o *ki* é desenvolvido por meio de práticas físicas padronizadas. Isso sugere um exame da estrutura psicológica que subjaz a esses métodos e dos pontos em que isso também poderia estar presente na prática tradicional das artes marciais. Encontro tal ponto de convergência na estrutura de *kata*, cujo modo de atualização analisei através das artes marciais.

16

Kiko e o combate

Existe um grande número de escolas de *kiko*, um método de fortalecimento do *qi* ou *ki*. *Kiko* é praticado com vários objetivos em mente – na luta contra a doença, na tentativa de melhorar ou fortalecer a saúde, na obtenção do bem-estar e no incremento das capacidades físicas nas artes marciais. No conjunto, a motivação para a prática de *kiko* é, em geral, melhorar a condição física. Contudo, se alguém mergulhar profundamente nesta prática, será levado inevitavelmente, mesmo que só um pouco, em direção a uma espécie de intuição de uma dimensão que engloba todo o seu modo de vida.

Por exemplo, uma das chaves da prática em todas as escolas de *kiko* é a respiração. Em *kiko*, respirar não é um simples movimento mecânico. É associado a várias imagens bem como a sensações particularmente localizadas.

Quando respiramos, se temos um pensamento negativo (desgosto, raiva, medo, desconforto etc.), o exercício não será bem-sucedido e pode mesmo ter um efeito negativo. É necessário que nos esvaziemos de todos os pensamentos e imagens negativos. Devemos formar uma imagem de paz, tranquilidade ou felicidade e respirar com essas imagens positivas e com sentimentos positivos. Podemos sorrir, mas não deve ser um sorriso forçado; podemos ter um sentimento de generosidade, mas não deve ser uma generosidade imposta ou ditada por algum tipo de crença – tem de ser espontânea.

Assim como procuramos a comida de um modo natural, por ser necessária e boa para a saúde, *kiko* nos conduz, independentemente de qualquer consideração moral, a procurar pensamentos e sentimentos positivos. O fato é que tudo o que passa na mente, quando estamos respirando, é absorvido profundamente pelo corpo e isso também é impresso em alguma parte do cérebro. Como no caso da comida, nos interessa absorver elementos que são positivos para nosso ser.

Assim nos movemos na direção de nos desapegarmos de vários elementos de stress, porque quanto mais profunda e intensamente respiramos, mais sentimos que estamos enviando esses elementos para as profundezas do corpo e dispersando-os lá. Nesse ponto, temos a sensação física da necessidade de livrar-nos desses elementos estressantes.

A primeira coisa que a prática de *kiko* ensina é formar imagens positivas para os exercícios, imagens que são inseparáveis de pensamentos positivos que se fazem sentir como sensações corpóreas. Isso nos permite contatar algo essencial que conduz o fluxo vital.

Desse modo, kiko aguça os sentidos por meio da exploração de uma visão de nosso corpo tal como sentida a partir de dentro. Ao mesmo tempo, quanto mais o corpo se torna permeável à sensação daquilo que nos comunica vida, mais a agudeza de nossa percepção se abre para o exterior, onde é tomada e estendida por uma imensidade sem limite.

Devemos ressaltar o seguinte. No curso dessa busca pelo bem-estar, especialistas têm observado claramente as ligações diretas entre pensamentos e sentimentos e imagens positivas e negativas e suas reações físicas. No domínio das artes marciais, estamos conscientes de que elementos negativos também são fonte de ação efetiva. Assim, existem técnicas nas quais formamos uma imagem de grande tristeza a fim de produzir uma força "fria", uma imagem de grande raiva para produzir uma força "negra", e assim por diante. As aplicações de *kiko* às artes marciais não estão sempre ligadas com a procura do bem-estar. Por escolha pessoal, deixarei esse assunto específico de lado.

Ao fazer uso de certo número de exercícios – chamei atenção para somente alguns deles – *kiko* procura regular a circulação de energia interna no corpo, seguindo os meridianos há tempo conhecidos pela medicina chinesa. Um dos principais estágios é o *shoshuten*, ou estágio do "pequeno circuito". Há um certo número de métodos para praticá-lo.

"Aquele que domina o *shoshuten* nunca conhecerá doença." Este aforismo de um clássico chinês já foi citado muitas vezes. Na prática chinesa clássica, o caminho e a direção do *shoshuten* são indicados: vá para baixo seguindo a linha central da frente do corpo, do alto da cabeça até a base do abdome; então volte para cima ao longo da coluna vertebral desde o cóccix até o topo da cabeça. Nos textos clássicos, somente uma direção é indicada. Contudo, de acordo com uma descoberta recente, a direção indicada nos clássicos mostra a direção da corrente de *shoshuten* para os homens; para as mulheres, a direção é oposta, com pequeno percentual de exceções.

Durante o processo de trabalhar com isso, tentar sentir ou orientar a circulação da energia na direção oposta é difícil e cria um sentimento de desconforto. Por contraste, uma vez que tenhamos conseguido estabelecer firmemente a sensação do *shoshuten*, podemos exercitar na direção oposta sem nenhum sentimento de preocupação. Ao realizar o exercício na direção oposta de tempos em tempos, podemos aumentar o nível de *shoshuten*.

Quando entramos em combate com a orientação que desenvolvi, tentamos primeiro perturbar o *ki* do oponente. Recentemente, em minhas experiências de combate, tornei-me consciente de que perturbar o *ki* de meu oponente significa perturbar ou bloquear o fluxo do *shoshuten* e ao mesmo tempo manter o equilíbrio do meu próprio fluxo de *shoshuten*.

Aqueles que experimentaram esse tipo de perturbação em combate podem analisá-la caso sejam suficientemente avançados em *kiko*. Essa experiência lhes permitirá orientar seus exercícios de *shoshuten* de forma a fortalecer seu *shoshuten*. Tal experiência pode tornar-se parte do processo de fortalecimento do *ki* através da prática de combate, a partir do momento em que adquirimos uma consciência do *ki*. Se perdemos uma luta porque o *ki* foi perturbado, podemos fortalecer nosso *ki* dirigindo a consciência introspectivamente para o estado do *ki* no momento em que perdemos. Se ganhamos uma luta, também podemos reforçar o *ki* por causa da consciência de como fomos capazes de manter a estabilidade do *ki* na situação dinâmica de combate.

Em resumo, ao procurar desenvolver sensibilidade ao *ki*, podemos melhorar nossa eficiência em combate e encontrar no combate outro significado além da mera tentativa de vencer. Espontaneamente, nos tornamos abertos para uma dimensão ética. No que me diz respeito, é por meio da descoberta dessa dimensão que as artes marciais adquirem seu significado pleno para mim, um significado que se coaduna bem com nosso momento na história.

Conclusão

O combate requer prática. É possível ensinar a teoria ou o significado das artes marciais com base na reflexão intelectual, mas se falta experiência suficiente, as palavras não terão densidade e peso, mesmo se elas forem corretas. Por outro lado, nos círculos de artes marciais, é frequente que a prática se torne um fim em si mesma e os aspectos mais importantes das disciplinas, ricos de potencial, permanecem não formulados ou são simplesmente ignorados.

Meu ponto de partida é o *budo* japonês. Ele me parece conter elementos que permitem ir além das barreiras culturais e conferir significado à prática contemporânea das artes de combate. A necessidade de desenvolver uma prática do *budo* de alta qualidade não é um problema somente japonês. Tentei trazer à tona elementos culturais que são tão óbvios aos japoneses que eles raramente os elevam à superfície da consciência. Esse processo foi possível para mim somente graças à clareza da cultura ocidental. Através de uma investigação de dupla mão, fui capaz de entender melhor as funções do *ki* no combate do *budo* e suas implicações. Estou convencido de que o *budo* pode ser apropriadamente levado à frente como uma prática física e mental para o futuro, que irá adequar-se bem às tendências culturais que estão aparecendo hoje em escala global.

Obviamente, a pessoa deve ao mesmo tempo lidar com as técnicas do *budo*, que são parte essencial deste. A chave para o *budo* é encontrada no nosso corpo: é *ki*, mas não só *ki* em geral. Na prática do *budo*, nós lidamos com *ki* tal como modulado em relação a uma forma técnica, sem a qual o *budo* não poderia existir. E na medida em que a modulação técnica de *ki* pode ser transmitida, podemos dar vida a uma forma de comunicação através do combate do *budo*, forma que pode continuar a ser desenvolvida e aprofundada em uma maneira culturalmente diferenciada. Educação física e treinamento atlético chegaram a um impasse; estão no meio de uma crise que toma diversas formas. Na minha opinião, uma análise das muitas dimensões do *budo* abre um reino de pensamento cuja significância vai além dos estritos limites das artes marciais. No que diz respeito aos japoneses, penso que deveríamos ter a abertura de mente que nos permita entender que existem outros sistemas de pensamento em outras culturas. Isso é indispensável para a comunicação e, mais profundamente, seria também o meio para realizar e aproveitar no próprio Japão tudo o que o *budo* pode contribuir para uma sociedade caracterizada por sua modernidade.

Pôr ênfase em trabalhar com *ki* não só torna possível concretizar a prática do *budo* como também abre a perspectiva de uma prática de longo prazo. Desse modo, o *budo* pode contribuir para o bem-estar e o robustecimento da força vital. De acordo com minha análise, a sensação de *ki* é o fundamento do *budo*. Essa sensação pode ser percebida independentemente das barreiras culturais. Isso abre perspectivas sobre a acessibilidade do *budo* a culturas completamente fora da cultura budista e xintoísta do Japão, preservando ao mesmo tempo sua qualidade específica.

Para corrigir minha postura, olho-me num espelho. Combate é como um espelho que me reflete para mim mesmo. Ao olhar nesse espelho, torno-me consciente das falhas e inadequações que têm que ser corrigidas ou tratadas. Portanto, para manter minha vida correta, tenho que olhar nesse espelho frequentemente. Eu diria que a prática de combate é um tipo de prática ascética para descobrir quem eu sou.

Não estamos falando simplesmente sobre um meio de vencer em combate. A coisa mais importante é a maneira pela qual conduzo esse combate, a qualidade de combate que estou apto a realizar. O combate de pancadas é determinado por acertar os golpes, mas antes de acertar o oponente é necessário criar as condições preliminares, isto é, trazer à tona a vulnerabilidade em meu oponente através da arte da cadência, através de mudanças na distância entre nós e através da projeção de *ki*.

Contudo, quando chega o momento do combate, coloco minha confiança em meu instinto e em minha energia espontânea. Nesse momento, não sou nem científico nem objetivo, mas profundamente subjetivo e me deixo ser guiado pela minha percepção subjetiva. De outro modo, não consigo combater. Obviamente, há momentos de especulação e de observação objetiva, porque a duração do combate pode ser longa ou curta. Em todo caso, minha percepção é diferente da percepção com a qual analiso e escrevo de acordo com a lógica comum. Combate me permite verificar, em termos de ação concreta, se minha sensação subjetiva era acurada. Se estou errado, a penalidade é imediata, porque recebo uma pancada. Não posso trapacear.

Quando trato da qualidade de combate, quero dizer que devemos conduzir o combate com essa percepção aguçada. Quando temos a impressão de sentir o campo de *ki* do oponente e de que estamos conseguindo repeli-lo ou superá-lo com nosso próprio *ki*, podemos criar uma falha postural e perceptiva no oponente e encontraremos o momento certo para um ataque bem-sucedido. Esse é o momento em que o oponente é vulnerável, enquanto permanecemos num estado de completude. Seu ataque será inevitavelmente bem-sucedido. Um golpe desferido quando criamos tal situação – isto é, quando vencemos num nível virtual –, é o que é chamado de *ippon*. O *ippon* é portanto um movimento de ataque que confirma a criação virtual da vitória. De certo modo, é uma duplicação da vitória, o que a torna inegável. Esse termo é empregado inadequadamente nos esportes de combate, porque o *ippon* não se baseia numa qualidade de movimento técnico, mesmo que este seja muito espetacular.

Quando acumulamos experiências de combate tentando obter *ippon*, começamos a descobrir que, se nos deixamos levar pela violência e agressão, perdemos a efetividade. Indubitavelmente a violência pode trazer uma primeira forma de efetividade, mas ao ficar mais velhos começamos a descobrir outras fontes de efetividade. De qualquer maneira, se aos 60 anos de idade uma pessoa conduz um combate do mesmo modo como o fazia quando tinha 20 anos, ela não será muito efetiva.

Começaremos a perceber que se, sentindo raiva e desprezo, queremos muito machucar o oponente, este sentirá essa agressão e o resultado será que o ataque corre o risco de ser antecipado. E se queremos machucar a pessoa na nossa frente, talvez haja uma voz no coração que sussurra: "O que você quer fazer não é bom". Porque somos seres civilizados que receberam uma educação moral. Essa forma de moralidade existe em todas as culturas e condiciona profundamente nosso pensamento e influencia nossas ações – felizmente. Mesmo que seja muito pequena, a voz interior pode dificultar a ação e ter consequências importantes no combate. Em qualquer caso, se continuamos a praticar o combate buscando a qualidade sobre a qual venho falando, acabaremos desenvolvendo esse tipo de sensibilidade. O efeito será então dobrado porque as emoções perturbam o *ki* e isso cobra algum preço sobre as ações.

Essa sensibilidade, então, nos força à introspecção. É possível que pensemos: "Eu queria golpear, mas meu oponente já sabia disso no momento em que ataquei. Assim, meu ataque foi previsível – algo se manifestou apesar dos meus esforços para controlá-lo, algo que alertou meu oponente sobre minha ação". Ou então: "Minha ação foi dificultada por um momento de hesitação, mesmo que leve, provavelmente porque algo em mim desaprovou a manifestação do meu ego e do meu orgulho, que queria causar dano".

Não sei como esse processo introspectivo ocorre para os ocidentais, mas para os japoneses tal introspecção é natural. É nesse sentido que a tradição da espada nos ensina: "O estado mental da pessoa determina a qualidade da espada". O que se procura é um estado mental no qual o ato não sofre a interferência do ego, no qual a expressão de não pensamento predomina. Isso nos conduz a um paradoxo: para conduzir o combate efetivamente, não devemos pensar em ferir o oponente; não devemos pensar em vencer.

O combate requer que empreguemos os recursos que desenvolvemos até o mais alto nível, por meio do treinamento, para trazer nossa capacidade total ao combate. Para isso, é necessário que nos livremos de pensamentos inadequados, que se constituem em freios na ação da pessoa. É necessário aguçar nossa percepção até o ponto de sermos como a superfície calma da água que reflete claramente a imagem da lua. Esse esforço coincide com o esforço de transformar o ego medíocre da pessoa num eu melhor e superior. A ideia originalmente pragmática da arte de combate – como lutar melhor, como melhorar o domínio do oponente – assume o objetivo adicional e complementar de como tornar-se melhor como ser humano. E, com a idade, esse objetivo complementar progressivamente se torna o objetivo primário do praticante. Essa é a evolução qualitativa pela qual passaram as artes marciais no curso da história e é também a evolução seguida pelos praticantes contemporâneos ao longo de sua prática. Esse é o significado do *budo*.

O que eu disse pode soar apenas como palavras bonitas, se deixamos de fora o elemento da prática. Não é fácil abordar o combate dessa maneira e muitas vezes tentamos identificar apenas a obtenção do objetivo e deixamos de fora o doloroso processo de alcançá-lo. Isso é parecido com a maneira com a qual alguns intelectuais gostam de falar sobre o Zen, embora tendo-o praticado pouco – eles deixam a longa e árdua jornada de fora.

Os círculos de artes marciais agregam pessoas de diversas inclinações. Para alguns, a violência é um tipo de tabu, porque a prática da violência é vulgar. Outros mergulham nela completamente e outros ainda tentam ultrapassá-la. Mas ultrapassar a violência não é fácil. É um problema. Não acredito que praticando apenas um pouco seja suficiente para capacitar a pessoa a ir além da violência. Um certo número de formas de treinamento coloca de lado com excessiva facilidade a experiência de combate. A realidade do combate não pode ser tão espetacular e tão infalível quanto as demonstrações de artes marciais. O combate é como uma caminhada nas sombras, em que a pessoa nunca pode saber algo antecipadamente. Sempre há elementos desconhecidos.

Aqui, faço a mim mesmo uma pergunta pessoal.

Qual o objetivo de tornar-se poderoso em combate? Qual o propósito de treinar um ou outro método de combate?

Acredito que, se uma arte marcial nos permite adquirir não mais que habilidade de luta, não há muito valor nela. Ser capaz de lutar um pouco melhor que os outros, qual a finalidade disso?

Comecei minha iniciação na arte de combate na minha infância e até agora pratiquei várias formas de combate mais ou menos violentas. Quando observo o que acontece na minha mente e no meu corpo quando evoco mentalmente essas formas de combate, sinto um certo mal-estar. Isso se deve à agressão, ao surto de violência, à vontade de esmagar, de fato matar o adversário, ao medo de receber pancadas, à antecipação da atmosfera de tensão... Descobri que a causa de meu mal-estar está enraizada na distorção, na compressão do *ki* que sofri sem analisar, ao longo do tempo, e que a memória de meus combates reforça. Durante certo período de tempo de minha juventude, as tensões que surgiram de uma confrontação me permitiram equilibrar minha própria tensão interna e isso me fez sentir uma certa satisfação e um certo prazer; mas apesar disso sempre senti que isso não era realmente o que eu deveria ter feito.

Essa forma de satisfação não tem nada a ver com o que vislumbrei na dimensão de combate do *kendo*, que vai além da confrontação animal do combate. Tendo adquirido certo nível de realização no *kendo*, tentei integrar essa dimensão em minha arte de combate de socos e pontapés. Foi uma reação espontânea de minha parte, porque sempre havia me questionado sobre o significado do que estava fazendo e enquanto continuava minha prática nunca havia encontrado um método satisfatório. Estava procurando por algo mais na arte de combate do que a simples efetividade e força. Qualquer que seja o nível de desempenho da pessoa, sua efetividade na luta desarmada, ela é muito frágil e efêmera frente às formas modernas de combate. O objetivo de tornar-se forte e de desenvolver efetividade em combate não era suficiente para me fazer perseverar nas artes marciais. Encontrei muitos mestres de grande valor e recebi ensinamentos preciosos. Contudo, nenhuma disciplina, nenhum método me era satisfatório, porque eu estava procurando por uma arte marcial que correspondesse plenamente, nos planos físico e espiritual, às condições correntes da vida.

Procurando pelo significado da prática de combate, choquei-me com um muro, porque o método e a maneira de praticar combate tinham que se conformar com minha filosofia e com minha intuição da vida. Foi apenas depois de quarenta anos de prática de *budo* e vinte anos de prática de *kiko* que cheguei ao entendimento concreto de que, se eu praticasse *budo* guiado pelo *ki*, minha prática poderia encontrar seu significado pleno, que era o que eu estava buscando desde o começo.

Dei à minha escola o nome de Jisei Budo. *Ji* significa "si mesmo"; *sei* significa "formar" ou "conseguir". Portanto é uma escola de *budo* por meio da qual a pessoa pode formar-se por si mesma. Cada momento é, portanto, somente um estágio. O significado da prática de *budo* que eu estava buscando, desde o começo, era o de forjar minha existência pelos meus próprios meios. Baseado no que aprendi, criei um método de *budo* por meio do qual tento me treinar e forjar a mim mesmo. Esse é o significado de *Jisei* e a direção que proponho aos meus alunos.

A partir desse momento, o *ki* me abriu uma visão do mundo através da sensação física e me vi engajado numa temporalidade que vai além de mim.

A partir desse momento, cheguei a uma concepção clara de combate. É esta. Se praticamos o combate tendo desenvolvido sensibilidade ao *ki* e deixando-nos ser guiados pelo *ki*, podemos praticar de uma maneira efetiva e significativa. Ao mesmo tempo, abriremos a percepção e sensibilidade a tudo que esteja acontecendo dentro de nós. Iremos então sentir, de um modo concreto, que estamos em sintonia com o *ki* de tudo que nos rodeia. Isto nos fará sentir o que há de errado com a raiva; irá nos ensinar a vencer o medo e a não nos deixar incapacitar pelo desejo. Nesse sentido, podemos dizer que o *ki* contém em si uma moralidade, mas essa moralidade está situada além da moralidade social e religiosa – ela tem suas raízes em nossa experiência.

A partir daí, a busca por efetividade em combate assume o sentido de internalização de uma ética.

Nota do Shihan Wagner Bull: Neste último parágrafo o leitor vai entender a ligação que existe entre a prática das Artes Marciais e os Caminhos espirituais e perceberá por que a maioria dos grandes mestres se torna religioso ou também líder espiritual no final da vida.

Impresso por :

Graphium
gráfica e editora

Tel.:11 2769-9056